Histoire d'un groupe de commandos américains
de l'OSS ayant combattu en 1944 avec des maquis de l'Aude

Barbara Ivy Jogerst

Traduit de l'anglais par Jean Lachaud

DÉDICACE

Ce livre est dédié à tous les groupes opérationnels de l'OSS[1] et aux jeunes maquisards qui ont créé un lien fort entre les États-Unis et la France.

« Il n'y a pas grand-chose de bien qui sort d'une guerre, mais ceci est de loin ce qu'il y a de mieux. »
– Col. Alfred Cox

1 Note du traducteur : L'OSS (Office of Strategic Services), Bureau des services stratégiques, créé en 1942, était l'agence centrale de renseignement des États-Unis pendant la guerre. Il est considéré comme l'ancêtre de la CIA actuelle.

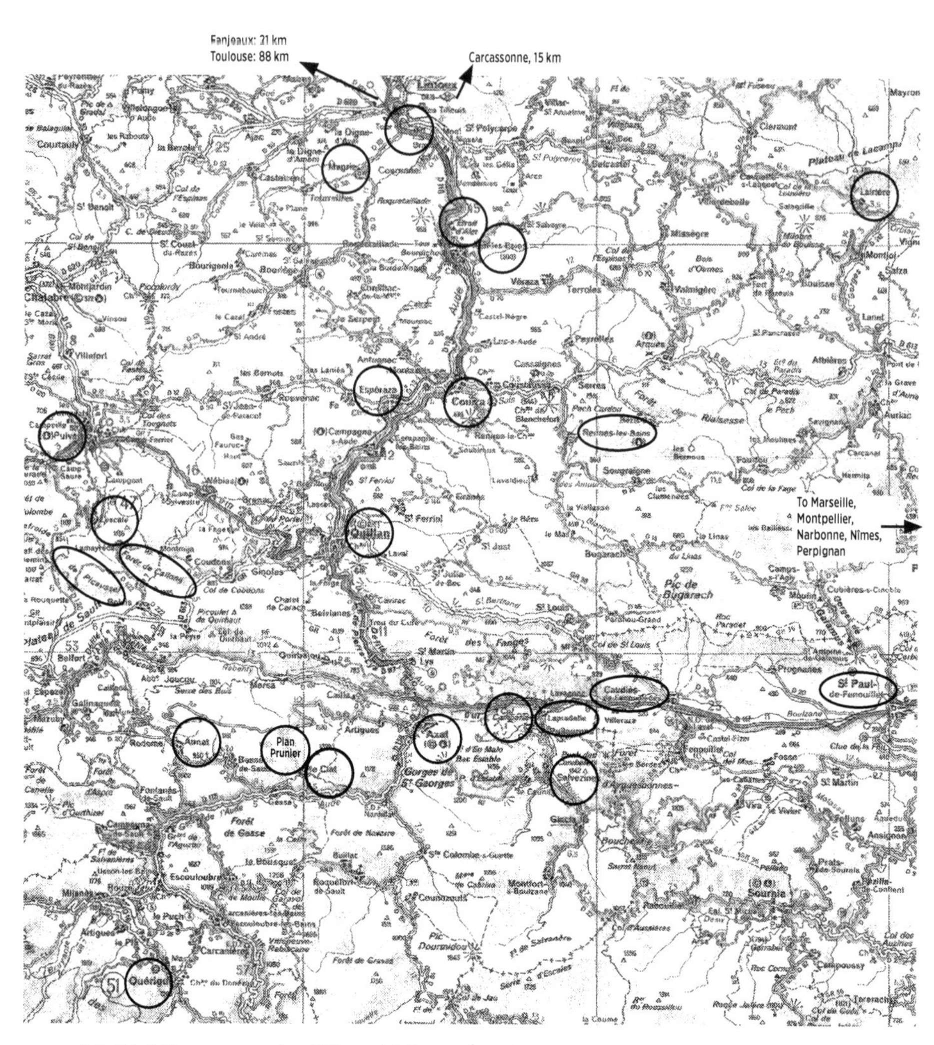

Alet-les-Bains (Aude) :	Au sud de Limoux, sur la D118	Marseille (Bouches-du-Rhône) :	Préfecture du département
Aunat (Aude) :	Au nord-est du Clat (de l'autre côté de la montagne)	Montpellier (Hérault) :	À l'est de Narbonne, sur la N113
Axat (Aude) :	Au sud-est de Quillan, sur la D118, à l'intersection avec la D117	Narbonne (Aude) :	À l'est de Carcassonne, sur la D117
Carcassonne (Aude) :	Préfecture du département, au sud-est de Toulouse	Nîmes (Gard) :	Au sud-ouest d'Avignon
Caudiès de Fenouillèdes (Pyrénées-Orientales) :	À l'est de Lapradelle, sur la D117	Perpignan (Pyrénées-Orientales) :	Préfecture du département
Le Clat (Aude) :	À l'ouest d'Axat, sur la D83	**Forêt de Picaussel** (Aude) :	À l'ouest de Quillan, au sud de Lescale
Col Campérié (Aude) :	À l'est de Pont d'Aliès, sur la D117	**Plan Prunier** (Aude) :	Au nord du Clat
Couiza (Aude) :	Au sud d'Alet-les-Bains, sur la D118	Puivert (Aude) :	Au nord-ouest de Quillan, sur la D117
Fanjeaux (Aude) :	À l'ouest de Carcassonne, sur la D119	Quérigut (Ariège) :	Au sud-ouest d'Axat, sur la D16
Gorges de Cascabel (Aude) :	Entre Alet et Couiza, le long de la D118	Quillan (Aude) :	Au sud de Couiza, sur la D118
Lairière (Aude) :	À 22 km à l'est de Limoux, sur la D129	**Forêt de Resclause** (Aude) :	À l'ouest de Salvezines, sur la D322 ; au sud du Pic d'Estable
Lapradelle (Aude) :	À l'est d'Axat, sur la D117, à l'intersection avec la D22	Rennes-les-Bains (Aude) :	Au sud-est de Couiza, sur la D14
Lescale (Aude) :	4 km au sud de Puivert	Saint-Paul-de-Fenouillet (Pyrénées-Orientales) :	À l'est de Lapradelle, sur la D117
Limoux (Aude) :	Au sud de Carcassonne avant Alet-les- Bains	Salvezines (Aude) :	Au sud de Lapradelle, sur la D22
Magrie (Aude) :	Au sud de Limoux, sur la D321 à l'intersection avec la D121		

Préface

LES GRANDS MOMENTS de la guerre de 1939-1945 ont leur place dans l'histoire : La Bataille d'Angleterre, le débarquement en Normandie, et même les déchiffreurs de codes à Bletchley Park, en Angleterre, dont les travaux secrets n'ont été révélés que récemment.

On connaît moins le rôle crucial joué par quelques dizaines de groupes de soldats américains ayant opéré en uniforme dans quelques pays : en France occupée, en Italie fasciste, en Grèce, en Yougoslavie, en Norvège, en Birmanie et en Chine. Vers la fin de la guerre, ces groupes ont aidé les résistants locaux à faire sauter des ponts, et à se battre contre les troupes de l'Axe.

Le général William J. Donovan, le légendaire créateur de l'*Office of Strategic Services*, créé pendant la guerre et qui a donné naissance à la *Central Intelligence Agency*, était persuadé que les États-Unis auraient intérêt à employer des Américains d'origine étrangère pendant la guerre. Il eut ainsi l'idée de déployer clandestinement des soldats américains parlant des langues étrangères, qui bénéficiaient de relations dans les pays d'origines de leurs familles.

Ces groupes, appelés groupes opérationnels (GO), se composaient normalement de deux officiers et de treize hommes, en général des sous-officiers, dont l'un était normalement infirmier et un autre opérateur radio. En mission, ces soldats portaient l'uniforme américain avec, à l'épaule, un drapeau américain dont le verso était une lettre portant la mention « Top Secret » indiquant qui ils étaient.

Les lettres des GO envoyés en France contenaient le texte suivant : « Ce soldat est un représentant pleinement accrédité du Commandement suprême des forces alliées. Il a pour instruction de rejoindre, si possible, des groupes de résistance pour mener une guerre sans fin contre l'envahisseur allemand pour la libération de la FRANCE. » Il y avait une traduction française, mais pas en allemand.

Tout cela ne faisait toutefois aucune différence pour le commandement allemand, qui avait ordonné de les traiter comme des espions en cas de capture.

Leurs missions, notamment en France occupée, étaient d'entraîner les groupes de résistance, de combattre avec ceux-ci, et de soutenir les troupes qui avaient débarqué en Normandie en juin 1944. L'un des objectifs principaux était d'empêcher les troupes allemandes de quitter les zones de moindre importance stratégique pour rejoindre la bataille qui se déroulait au nord et à l'est. Ces groupes ont fait sauter des ponts, des dépôts de munitions et de ravitaillement, et autres objectifs. Ces groupes d'opérations « GO » étaient complètement indépendants des équipes Jedburgh, qui étaient composées de commandos américains et britanniques et, pour la France, français. William Colby, ancien membre des Jedburgh et ancien directeur de la CIA, déclarait en 1993 : *« Les groupes opérationnels n'étaient pas des vedettes ; c'était des soldats, qui faisaient leur boulot, sans bénéficier de beaucoup de publicité. »*

Tout comme l'OSS a été le précurseur de la CIA, les GO ont été les véritables précurseurs des forces spéciales américaines telles qu'on les connaît actuellement.

L'histoire que raconte ce livre est celle d'un de ces groupes, sous les ordres de Paul Swank, un lieutenant de 24 ans, dont les exploits dans le sud de la France continuent d'être remémorés, 75 ans plus tard, de part et d'autre de l'Atlantique. C'est une histoire faite de courage, d'humilité, d'ingéniosité, de fidélité et de détermination tranquille. C'est l'histoire d'un élément-clef de l'effort de guerre. Et, surtout, c'est l'histoire d'un lien durable entre deux peuples et deux pays, un lien qui ne pourra jamais être brisé, et qui doit toujours être rappelé.

Prologue

TOUS LES ANS, LE 17 AOÛT , une cérémonie solennelle marquant des événements survenus en 1944 dans l'Aude, se déroule à quelques kilomètres au sud de Carcassonne. Les habitants de la région n'oublient pas ce qui s'est passé à cette époque.

Le temps est généralement chaud et ensoleillé pour la cérémonie à Limoux. Quelques nuages traînent dans un ciel bleu lumineux. Quelques vieux, accompagnés de leurs familles, se rassemblent, comme ils le font tous les ans depuis la fin de la guerre. Des enfants jouent à chat entre les arbres de la grand-place. Une estrade est installée, à côté d'un obélisque sur lequel une plaque de métal décrit les actes héroïques des résistants locaux pendant la seconde guerre mondiale. Une brise fraîche fait à peine flotter les drapeaux, dont quelques participants ont du mal à mettre la hampe dans leurs baudriers. Un photographe, à l'ombre d'un platane, vérifie son appareil. Une dame, un bloc-notes à la main, s'approche du maire qui relit ses notes. D'autres reporters et photographes, venus de Carcassonne et de villages environnants, se joignent à la foule qui grossit.

Le maire monte sur l'estrade. La dizaine de porte-drapeaux sont au garde-à-vous, devant et sur les côtés de l'estrade et de l'obélisque. Les flashes des appareils-photo se déclenchent. Tout le monde se tait. Le maire fait son discours. Puis l'un des hommes âgés monte sur l'estrade et prononce quelques mots. Les flashes crépitent encore, pendant que l'assistance se disperse et que les gens regagnent leurs voitures.

Le 17 août est, depuis 1945, un jour consacré aux cérémonies et aux souvenirs. En ce jour de commémoration, ce premier arrêt sera suivi de plusieurs autres.

De Limoux, le convoi de voitures s'engage sur la D118. L'Aude, descendant des Pyrénées, coule vers le nord, vers Carcassonne.

C'est ici que, tous les ans, les gens rendent hommage au jeune Américain tué par les Allemands en août 1944. Lui et ses hommes préparaient une embuscade pour empêcher les Allemands de vider un entrepôt de ravitaillement. Même si les Allemands s'étaient servis dans cet entrepôt, il y restait suffisamment pour nourrir toutes les petites villes, villages et hameaux voisins de l'Aude.

La tombe est implantée sur un soubassement en pierres du pays d'environ 1,40 m de haut. La tombe elle-même est en marbre gris, comme la pierre tombale qui la ferme. Une stèle triangulaire en marbre, d'un mètre de haut environ, et dont le haut est plat, se trouve à la tête de la tombe, du côté d'Alet. Une inscription est gravée en français sur la face ouest de la stèle, et en anglais sur la face est. Elle dit : Ici est tombé glorieusement pour la libération de la France le lieutenant américain Paul Swank le 17 août 1944 et y repose selon sa volonté. Il y a des roses jaunes au pied de la stèle.

Un drapeau américain de grande taille a été placé sur la pierre tombale.

Vieux et jeunes sortent des voitures et se dirigent vers le petit terre-plein qui entoure la tombe. Une femme pousse une chaise roulante dans laquelle est assis un homme. Un autre marche avec un déambulateur. Une fillette, cinq ou six ans peut-être, court vers les rochers et y cueille quelques fleurs sauvages dans une fente. Serrant les fleurs dans ses petites mains, elle revient en courant vers l'une des personnes âgées, qui est sans doute son arrière-grand-père. Après lui avoir dit quelques mots, il la prend dans ses bras et la porte jusqu'à la tombe sur laquelle elle pose ses fleurs. Un bouquet est bientôt posé à côté du drapeau, puis un autre. La petite foule se rassemble.

Quelqu'un manipule un magnétophone portatif posé sur une chaise près de la tombe. L'hymne américain retentit dans la gorge, suivi par *La Marseillaise*. Après quelques discours brefs, tout le monde remonte dans les voitures.

Le convoi s'arrête ensuite à un monument placé en haut d'une colline qui surplombe la D118, à deux kilomètres au sud d'Alet. Ce sont les *Gorges de Cascabel*. Trois jeunes maquisards y avaient été tués, le matin de ce 17 août 1944. Quelques discours sont prononcés, et le convoi reprend sa route vers Couiza, où un hommage sera rendu aux résistants espagnols. Son trajet se terminera à Quillan, où le repas et l'échange de souvenirs dureront jusqu'à la fin de l'après-midi.

Ma famille et moi avons eu la chance de participer à plusieurs de ces cérémonies, la dernière fois en 2014, à l'occasion du 70e anniversaire.

Le soldat américain que l'on y commémore ainsi était mon cousin.

Chaque visite a été différente et, chaque fois, j'en ai appris davantage sur ce qui s'était passé à Alet en 1944. Je relate dans ce livre une grande partie de ce que j'ai appris de la sorte. Je donnerai des détails supplémentaires à la fin de l'ouvrage.

En 2006, par exemple, il y avait entre cinquante et cent personnes, comprenant des survivants et leurs familles, des gens venus des villages avoisinants, ainsi que d'autres venus d'Angleterre, et même d'autres pays d'Europe. Nous avions remarqué dans la foule un homme portant le livre rédigé par mon père et ma tante en mémoire de Paul. C'était le fils d'Henri Job, qui était consul de France à Houston dans les années 40. C'est lui qui avait aidé ma tante à joindre les gens qui s'étaient occupé de Paul. Philippe Job nous invita chez lui, à Carcassonne, ce soir-là ; nous y avons fait la connaissance de sa femme, et ils nous ont raconté leurs souvenirs de la guerre dans la région.

Alet-les-Bains n'est ni Paris ni Marseille ; c'est un petit village (300 habitants à l'année), au bord de l'Aude, en plein pays Cathare, sur la route empruntée par Hannibal entre l'Espagne et l'Italie. Le village a autrefois appartenu à l'Espagne. Ses maisons et ses magasins en pierres du pays n'ont pas l'air très différents de ce qu'ils étaient en 1944. La plupart des pierres avec lesquelles ils sont bâtis proviennent des collines entourant le village, et une grande quantité vient des ruines de l'ancienne abbaye ; après sa destruction pendant les guerres de religion, les habitants s'y servirent en pierres de construction. Bien qu'il y ait peut-être un peu plus d'animation dans les rues, les habitants s'inquiètent de la fermeture, sans doute définitive, de l'usine locale d'embouteillage d'eau, ce qui va encore diminuer les emplois disponibles pour les jeunes. En plus de l'usine d'embouteillage, un fabricant de chapeaux, fermé depuis longtemps, était le seul autre employeur important.

Le mysticisme semble envelopper Alet. Le village a été surnommé le « jardin d'Eden » par de nombreuses personnes, en raison de la diversité de sa végétation. De plus, depuis les Cathares, une croyance, reposant sur peu de preuves, voire aucune, veut que Marie-Madeleine y ait vécu après la crucifixion.

Le mysticisme était si fort qu'un groupe d'archéologues nazis, convaincu que l'Arche d'alliance était cachée sous la montagne voisine de Montségur, a passé l'essentiel de la guerre à faire sauter celle-ci, morceau par morceau, sans rien trouver d'ailleurs. (Oui, Steven Spielberg a visité la région et, effectivement, cela ressemble beaucoup à l'intrigue des *Aventuriers de l'arche perdue*.)

Il n'y avait rien de vraiment important ici pour les Allemands – pas de grosse industrie, seulement quelques sources thermales, quelques petites fermes, des vignes, et les ruines d'une abbaye du 9e siècle saccagée par les Huguenots en 1577. Les survivants disent que les Allemands, qui avaient réquisitionné les hôtels locaux et le bureau du maire, étaient ici principalement pour se reposer et faire des cures thermales, plutôt que pour se battre.

Mais c'étaient néanmoins des occupants. Ils raflaient les jeunes gens en bonne santé pour les envoyer travailler en Allemagne. Ils se servaient en nourriture dans les fermes et les boulangeries locales. Ils occupaient les principaux bâtiments de la ville, de la mairie aux thermes en passant par les hôtels. Bien qu'il y ait eu des garnisons plus importantes à Carcassonne, toute proche, Alet était cependant un carrefour stratégique.

Le monument aux morts, qui se dresse dans la cour de l'église Saint-André, contient les noms des 33 enfants de la commune morts pendant la guerre de 1914-18, et d'un seul, nommé François Merou, tué en 1940, pour la guerre de 1939-45. C'est parce que, comme nous le verrons, les combats, ici, ont été une guerre de guérilla entre les Allemands et le maquis, qui était aidé par une équipe de soldats américains. Ils ont leurs propres monuments.

Pourtant, Alet était une petite ville tranquille.

Que s'est-il donc passé ici pour donner lieu à cette commémoration annuelle ? Qui était ce jeune soldat américain, Paul Swank ? Comment est-il devenu leur héros en quelques jours à peine?

Ce livre est une tentative de réponse à ces questions, entre autres. L'histoire que j'ai compilée repose sur des lettres, des souvenirs, des documents, des entretiens avec les survivants et leurs descendants, ainsi que sur les visites que j'ai effectuées depuis plusieurs dizaines d'années. Elle est aussi fidèle à la vérité historique que possible. Certaines conversations ont été recréées, et certains personnages sont composites. Les erreurs éventuelles sont les miennes.

Mais son message central est clair : l'héroïsme est un trait durable, qui ignore les frontières, en inspirant le meilleur en nous, peu importe où nous vivons.

CHAPITRE 1

Alger destination France

21 h - 10 août 1944

ALGER

BLOTTIS AUTOUR DE LEUR ÉQUIPEMENT, à l'ombre du Stirling, un bombardier britannique, les hommes du groupe de l'OSS nommé « Opération Peg » attendent l'ordre d'embarquer. Ils sont plus que prêts à partir. Ils sont là depuis le début de la soirée et, comme d'habitude, n'ont pu annoncer leur départ à personne.

La tombée de la nuit n'a pas rafraîchi l'atmosphère. L'air est immobile. J'espère que nous allons pouvoir y aller bientôt, pense Jean Kohn. « On se croirait à Port Arthur ! » dit J.P. « C'est exactement le temps qu'il fait chez moi en août. Et c'est là-bas que j'aimerais être. »

« Allez, J.P., ne me dit pas que tu voudrais rater tout ça ? » dit Veilleux. « J'ai du mal à croire qu'on nous a donné tout cet argent. »

Chaque homme avait touché 10 000 francs et 20 pièces d'or françaises. Ils étaient aussi munis de toutes sortes de cartes, et avaient une lettre en français indiquant qui ils étaient. « Veilleux, tu penses vraiment que l'OSS va te laisser garder cet argent ? T'es encore plus cinglé que je ne pensais. », lui dit Kohn.

« Hé, on peut rêver, non ? « Tiens, voilà le lieutenant Weeks ! Je te parie qu'il va nous dire que nous sommes enfin prêts à partir. »

Tout en se dirigeant vers ses hommes, le lieutenant Weeks dit : « On y va ! Embarquez ! » Ils se redressent et passent à l'action, enfilant les parachutes et prenant leurs sacs à la main. Ainsi équipés, avec leur barda volumineux, ils montent à bord. Cette fois-ci, c'est en Stirling qu'ils quittent Blida. Leur ouverture de largage est au même endroit que lors des vols précédents. Du contre-plaqué recouvre un emplacement normalement prévu pour une mitrailleuse. Les pilotes sont britanniques et le largueur est australien.

Minuit est tout juste passé, ce 11 août 1944.

Il ne faut pas longtemps avant que les moteurs ne tournent à plein régime dans un vrombissement assourdissant, et que l'avion ne décolle. L'aérodrome est maintenant derrière eux. On distingue l'écume des vagues qui se disperse sur les plages sous l'avion qui entame la traversée de la Méditerranée. Le lieutenant Paul Swank regarde ses hommes. Certains fument sans rien dire ; d'autres discutent tranquillement. Il pense à la manière dont ils vont réagir dans ce qui va être leur premier combat.

On peut imaginer ce qu'il pense :

« Ils sont bien entraînés et sont aussi préparés qu'il est possible de l'être. Pour les aider à réussir, je dois être un meilleur chef que certains de ceux que j'ai vus et que j'ai eu pendant mes classes. Ils sont bons, et ils s'entendent certainement bien. »

Ils avaient pour mission de rejoindre le maquis de Picaussel, affilié au gouvernement de la France libre du général de Gaulle, alors en exil à Londres. Le maquis en question était bien connu du MI6 et de l'OSS. Les GO avaient des armes pour lui. Celles-ci allaient être larguées, dans des grands conteneurs, à proximité du point de parachutage, et les soldats américains allaient rester avec le maquis pour l'entraîner et l'aider à faire sauter des ponts et des routes.

Après le débarquement allié en Normandie sous les ordres du général Eisenhower quelques semaines plus tôt, de violents combats, ayant causé des milliers de morts, avaient permis, kilomètre après kilomètre, de libérer une partie du nord de la France. Un autre débarquement était prévu dans le sud de la France, pour renforcer la pression sur les Allemands. La guerre était encore loin d'être gagnée. Paris allait être libérée le 25 août, une quinzaine de jours après le parachutage du groupe Peg. Mais des troupes allemandes étaient envoyées vers le front. La guerre allait s'éterniser pendant près d'un an encore, jusqu'à l'armistice du 8 mai 1945.

Les renseignements dont le groupe Peg disposait laissaient penser que les Allemands de la région étaient en train de se préparer à la quitter, emportant avec eux de grandes quantités de ravitaillement et de munitions. Le groupe Peg connaissait les emplacements de plusieurs des dépôts en question. La mission de « Peg » consistait à aider le maquis à harceler les Allemands le plus possible, à faire sauter des routes et des ponts importants, et à capturer le plus de ravitaillement, de munitions et d'armes possibles pour empêcher les Allemands de s'en servir. C'était une tâche considérable, et ils étaient tous impatients de passer enfin à l'action.

Une fois le Stirling à son altitude de croisière, Paul Swank se leva et se dirigea vers ses hommes. Il savait que, très probablement, ils pensaient à leur départ pour la France prévu la semaine précédente, qui avait été annulé avant même de commencer en raison de renseignements qui leur étaient parvenus. « Écoutez bien, les gars ! Je sais que vous êtes tous préoccupés par ce qui s'est passé la semaine dernière. C'était juste un coup de malchance ! Nous avons été prévenus avec suffisamment de temps pour faire demi-tour. Les Allemands n'ont jamais su que nous étions même à proximité. Notre point de parachutage a changé. Aujourd'hui, nous allons atterrir de l'autre côté de la montagne. Les gars qui nous réceptionnent sont à un endroit différent. Tout le matériel supplémentaire, qui est dans un autre avion, sera largué à un endroit, et nous atterrirons ailleurs. Alors reposez-vous, et essayez de dormir un peu ! La nuit va être longue. » Et elle le fut.

« Préparez-vous ! » L'annonce sèche du lieutenant Swank les tira du vrombissement monotone des moteurs. « Debout. Contrôlez votre matériel ! Le Lieutenant Weeks est le premier à sauter ; après lui, ce sera Strauss !

Frickey! Guion! Sampson! Kohn! Bachand! Veilleux! Weyer! Armone! Galley! White! Armentor! Je pars après Armentor ! »

Avec leurs sacs de matériel accrochés au harnais et leurs deux parachutes, ils se lèvent maladroitement des sièges en métal et s'alignent derrière Weeks. Le contre-plaqué a été retiré. Le vent siffle autour du trou sur le rebord duquel Weeks est assis. Les pieds pendant dans le vide, il attend le « Go » du largueur. Le choc à l'ouverture du parachute est le bienvenu pour les 14 hommes au fur et à mesure de leur sortie du bombardier.

PENDANT QUE LES SOLDATS étaient en l'air, les résistants qui les attendaient étaient plein d'énergie. En début de soirée, les hommes du maquis FTP Jean Robert & Faïta se trouvaient dans la forêt de Resclause, au-dessus du village de Salvezines. Un instituteur, M. Ribéro, arriva du village. Il sortit de sa vieille Renault et se précipita vers un groupe de jeunes gens en grande conversation. Il avait de grandes nouvelles. « Vite ! Où est Jean-Louis ? On vient d'entendre un message ! »

Une main se leva, avec un doigt pointé vers un jeune homme de taille moyenne. C'était Victor Meyer, le commandant du maquis Jean Robert et Faïta, basé à Salvezines. Ces hommes ne le connaissaient que par son nom de guerre, Jean-Louis. Ici, personne ne connaissait le vrai nom de personne. C'était leur seule protection. Ce groupe de maquisards, comme ils s'appelaient eux-mêmes, faisait partie de la résistance communiste - les FTP (Francs-tireurs et partisans). Ils avaient à leur tête un commissaire politique, Jean-Louis, et un chef militaire, Adolphe Gomez, dont le nom de guerre était « lieutenant Michel ». Ils étaient communistes mais ils aimaient la France. En raison de leur orientation politique, ils ne recevaient pas beaucoup d'aide officielle. La plupart du soutien allié allait à l'AS (Armée secrète) ou aux mouvements de résistance réguliers, les FFI (Forces françaises de l'intérieur).

En fait, un maquis FFI, le maquis de Picaussel, attendait les Américains à un autre site de parachutage, à une cinquantaine de kilomètres de là. Mais, avec les aléas de la guerre, les Américains et leur matériel se sont retrouvés à un endroit et avec un maquis qui n'étaient pas ceux prévus.

Pour le maquis de Salvezines, ce fut une grande chance. Un parachutage de soldats américains, événement rarissime, était le bienvenu.

Ribéro, très excité, déclara : « Stéphane, le radio, vient de me dire qu'il va y avoir un parachutage d'armes cette nuit ! »

Il a dit que ce serait à l'Ordonnance, la zone de réception de l'AS, qui la partageait maintenant avec le maquis de Picaussel. Il savait que le maquis de Picaussel s'était retiré à Quérigut, à cause d'une attaque allemande quelques jours plus tôt.

« Il va y avoir un parachutage d'armes cette nuit, avec le code "le palmier est une plante exotique", dit Ribéro. « La zone de largage est à une vingtaine de kilomètres au sud de Quillan, dans la zone contrôlée par l'AS, le maquis d'Aunat. Le nom de code de la zone de parachutage est Tunnel. »

« Tous leurs avions viennent du sud-est », dit Jean-Louis. « Il y a un endroit près du Clat qui s'appelle Plan Prunier. C'est un beau pré, parfait pour un largage, et il se trouve juste sous la trajectoire de l'avion. En nous dépêchant, nous pouvons y arriver, prendre position et préparer nos signaux pour le largage. »

En une heure, ils avaient rassemblé deux camions et deux voitures. Danton, qui avait été mécanicien dans l'armée de l'air, avait bricolé le phare d'une vieille voiture pour pouvoir envoyer à l'avion un signal « R » en Morse. Ce code signifiait que le point de parachutage était sûr. Avec lui, Jean-Louis, Lazare, Prosper, Soulié, Marti, Rousseau et huit autres partirent rapidement pour Le Clat.

À vol d'oiseau, le terrain n'était éloigné que de quelques kilomètres, mais il fallait d'abord, pour descendre de leur camp, emprunter une route sinueuse, pas plus large qu'un sentier de chèvre, pleine de nids de poule. Une fois à Salvezines, il fallait faire le tour de la montagne, et puis recommencer à monter. Arrivés au Plan Prunier, ils laissèrent leurs véhicules au bord de la route, gravirent la pente escarpée pour arriver au terrain de parachutage, se dispersèrent et commencèrent à allumer leurs feux de signalisation. Il y eut quelques désaccords sur les emplacements des feux de signalisation, leur écartement et pour savoir qui serait responsable de les allumer et de les éteindre.

Ils furent bientôt prêts et se mirent à attendre, en regardant leurs montres toutes les cinq minutes.

À cet endroit, dans les Pyrénées, les montagnes sont si hautes de part et d'autre de la zone de parachutage que l'avion ne pouvait pas descendre assez bas pour permettre un bon largage à 300 m. Cette altitude était désirable pour plusieurs raisons. Il y aurait moins de chances que l'ennemi les voit et puisse savoir où ils auraient atterri. Les conteneurs tomberaient plus près les uns des autres, plus vite. Les feux de signalisation au sol pourraient être éteints plus tôt. La plus grande altitude allait donc entraîner une plus grande dispersion des conteneurs, ce qui rendrait leur récupération plus difficile.

Marti fut le premier à entendre, au loin, le vrombissement des moteurs d'un avion qui s'approchait. Il était aux alentours de 3 heures du matin. Alors que les feux s'allumaient, une ombre noire apparut dans le ciel étoilé, au-dessus des crêtes avoisinantes. Danton donna le signal R. L'avion tourna plusieurs fois avant de larguer sa cargaison. Des cliquetis résonnaient, causés par les conteneurs qui s'entrechoquaient. Les parachutes de quelques conteneurs s'étaient emmêlés. Ceux-là allaient tomber dans un sifflement avant de s'ouvrir en s'écrasant au sol avec un bruit sourd. Les conteneurs venaient tout juste d'arriver et les hommes étaient en train de s'éparpiller pour les récupérer lorsque le vrombissement d'un second avion se fit entendre. Jean-Louis dit: « Vite, planquez-vous ! C'est un autre avion ! Il est supposé n'y en avoir qu'un ! ».

Le second avion plongea de la crête. Des claquements se firent entendre au fur et à mesure de l'ouverture des parachutes qui s'égrenaient sous l'avion. Cette fois, il y avait des corps sous les parachutes, ainsi que quelques conteneurs. Jean-Louis se demandait s'il avait assez d'hommes pour se battre, si c'était des Allemands. « Laissez tomber les conteneurs ! Planquez-vous ! », dit-il à ses camarades. « Ne tirez pas ! Attendons de savoir qui c'est ! ».

Cette nuit-là, un autre message, dont Ribéro n'avait pas eu

connaissance, avait été envoyé. Il disait, en code : *« 14 amis te diront ce soir que la vertu brille dans tous les yeux. »*. Le message, annonçant le parachutage de quatorze hommes, était destiné au maquis FFI de Picaussel, celui que les parachutistes auraient dû rejoindre à l'occasion de la mission annulée du 6 août.

En descendant sous leurs parachutes pour faire face à leur premier combat, chacun des quatorze soldats éclairait avec une petite lampe de poche le drapeau américain cousu à sa manche gauche. L'atterrissage ne s'effectua pas dans un pré moelleux comme prévu. À la place, certains allaient se retrouver sur un flanc de montagne escarpé, parsemé de pierres, de rochers et d'arbres – un terrain convenant aux conteneurs de matériel mais pas aux hommes.

Un des maquisards, Marti, avait même dû faire un pas de côté au dernier moment pour éviter d'être heurté par un des parachutistes, qui toucha le sol près de lui. Le parachutiste se releva d'un bond, un Colt 45 à la main, et dit : « Donnez-moi le mot de passe ! »

Avec un pistolet braqué sur lui, Marti ne put que donner le message annonçant le parachutage. C'était le seul qu'il connaissait.

« Ce n'est pas le mot de passe ! », dit l'Américain.

Marti dit alors : « Forces Françaises de l'Intérieur ! » Ils se serrèrent la main.

Tout en amenant à Jean-Louis l'homme qui avait failli le tuer, il répétait :

« Ne tirez pas ! C'est des Américains ! ».

Jean Kohn, né à Paris où il avait passé son enfance, fut l'un des premiers soldats américains au sol. Se relevant d'un bond, il appuya sur le dispositif de libération du parachute, au milieu de sa poitrine, le fit pivoter d'un quart de tour pour se débarrasser du harnais, puis se laissa tomber à genoux et embrassa le sol. Après quatre trop longues années, il était de retour dans son pays.

J.P. White, qui avait passé son enfance dans le pays cajun en Louisiane du sud, fut l'un des derniers à atterrir. Il avait tout fait comme il faut : il avait tiré fort sur les deux élévateurs avant, avait gardé les deux pieds bien serrés, mais ça ne l'avait pas empêché d'atterrir sur un rocher. Son roulé-boulé n'avait pas eu d'effet non plus, car il était sur une pente, au lieu de la surface horizontale prévue. Il ne voyait rien, tellement il faisait noir. Il entendait des gens crier, mais n'arrivait pas à reprendre son souffle, qui avait été coupé par la violence de l'atterrissage. Il s'attendait à se faire tuer d'une minute à l'autre. Le mot « peur » était un euphémisme par rapport à ce que ressentait le jeune homme du pays Bayou. Au moment où il arrivait enfin à se relever, il aperçut un très jeune type – une quinzaine d'années, peut-être - qui le regardait. J.P. s'écria : *« La peau vaut mieux que la bête !* »

Pas de réponse. *« La peau vaut mieux que la bête !! »* Pourquoi est-ce qu'il ne connaît pas la réponse ? Tout ce qu'il a à dire, c'est « Pas si la bête est grasse. ».

Il répéta : « La peau vaut mieux que la bête ! ». Qu'est-ce que je suis censé faire maintenant ? Il se contente de me regarder. Au moins, il ne braque pas son arme sur moi. Il se contente de me regarder.

D'un seul coup, le garçon lui tendit la main. Ils se serrèrent la main et devinrent amis.

De partout, on entendait *« La peau vaut mieux que la bête ! », « La peau vaut mieux que la bête ! ».*

« Mon lieutenant ! Mon lieutenant ! Ces gens ne donnent pas le mot de passe ! Qu'est-ce qu'on fait ? »

« Où est Guion ? Armentor s'est fait mal au dos ! Arnone est à moitié assommé ! »

Le lieutenant Swank dit : « On se calme ! Guion va venir voir comment ils vont. Le lieutenant Weeks est avec Strauss en train de discuter avec les chefs. »

Pendant qu'il disait ceci, Kohn s'approcha en courant. Il avait 16 ans quand il avait quitté Paris pour aller rejoindre son père, parti fonder à New York une entreprise d'importation de bois. Son père savait que la guerre était imminente. Le reste de sa famille allait le rejoindre peu après.

« Mon lieutenant ! Le lieutenant Weeks m'a envoyé vous dire ce qui se passe. Je ne sais pas si j'ai bien compris, parce que le français de ces gens est un peu différent de celui auquel nous sommes habitués, et ils sont sacrément difficiles à comprendre. Donc, c'est seulement ce que nous pensons avoir compris. Nous avons atterri près du Clat ; c'est près d'Axat. Ils viennent de Salvezines, qui n'est pas très loin d'ici. Ils ne font pas partie du maquis qui était prévu pour nous attendre, mais ils sont ici pour nous réceptionner, nous et les munitions. Ils vont nous emmener en sécurité dans la montagne, au-dessus de Salvezines. Strauss et moi, on pense qu'on peut leur faire confiance, en tout cas pour le moment. Nous sommes donc d'avis que nous devrions aller avec eux. Le lieutenant Weeks pense que c'est sans doute une bonne idée. »

Bill Strauss, un autre membre du groupe, avait lui aussi passé son enfance en Europe.

Sa famille avait eu une entreprise à Francfort. En 1933, à vingt et un ans, il avait quitté l'Allemagne pour aller à Paris. Le Troisième Reich avait commencé à montrer comment il traitait les juifs. En 1935, de Paris, il était parti aux États-Unis, où il avait acheté une exploitation de vaches laitières.

Le lieutenant Swank dit : « Écoutez-moi tous ! Notre comité d'accueil est un maquis français ! Simplement, ce n'est pas celui qui était prévu. Ramassez tous votre matériel et aidez les maquisards à descendre les conteneurs à la route. Ils ont des camions et des voitures. Allez, plus vite que ça ! Nous devons nous tirer d'ici ! Ils se trouvaient au sud de Carcassonne.

Les maquisards, qui avaient regardé avec surprise les parachutistes descendre, avaient d'abord pensé que c'était des Allemands, et avaient été prêts à leur tirer dessus. Ils avaient été très contents de voir les drapeaux américains éclairés sur les manches des paras. Leur enthousiasme était palpable à cette arrivée de soldats Américains inattendus. Il y eut beaucoup de conversation en français, de poignées de mains et de claques sur les épaules. Il fallut quelques minutes pour que l'excitation des maquisards retombe un peu et qu'ils se mettent à charger les camions, mais le convoi fut bientôt en route.

C'était une bonne nuit. Il n'y avait pas d'Allemands.

CHAPITRE 2

Paul A. Swank

CHICAGO

DES HABITANTS DE VIRGINIE et des Carolines ont commencé à s'installer dans le sud du Missouri à la fin du 17e siècle, en passant par l'Indiana, l'Illinois et le Kentucky. A.V. Swank, un pharmacien, avait quitté l'Indiana avec sa femme, Susan A. Swank, pour s'installer à Charleston, dans le Missouri. Ils avaient eu un fils, nommé Joseph Elbert Swank, né en 1869. La ferme des Swank se trouvait dans la grande plaine appelée « Tywappity Bottom », réputée pour ses terres marécageuses, rendues extrêmement fertile par les inondations saisonnières du Mississippi. Elle était située dans le « talon de la botte » du Missouri, qui s'enfonce au sud-est de l'état entre l'Illinois, le Kentucky, le Tennessee et l'Arkansas.

En 1888, Joe Swank épousa Alice Brown, née, comme lui, en 1869. En 1890, ils eurent un fils : Paul A. Swank Sr. Celui-ci passa son enfance près de Charleston, qui se trouve juste au sud-est de la ville de Cap Girardeau, à l'ouest du confluent de ces grands fleuves du Midwest que sont l'Ohio et le Mississippi.

Il épousa Mary Cynthia Ivy le 26 août 1916. Elle était diplômée de l'école normale de Cap Girardeau, dont elle était sortie en 1915 avec un doctorat en pédagogie. Pendant la Première Guerre mondiale, Paul Sr. avait été capitaine dans l'armée de terre américaine. Après la guerre, il était rentré à Cap Girardeau, où Paul A. Swank était né le 12 février 1921.

Peu de temps après sa naissance, la famille s'était installée à Nashville, dans le Tennessee. Paul Sr. était alors commissaire aux comptes de la « Southern Methodist Church », une église protestante. Quelques années plus tard, la famille s'installa à Lakeland, une ville de Floride où Paul Sr. se lança dans l'immobilier. La vie était belle. Ses affaires marchaient très bien. Le jeune Paul s'épanouissait pleinement en Floride. Mary aimait beaucoup sa maison pleine de bonheur. Sa mère et sa grand-mère venaient souvent les voir.

Mais les temps commençaient à changer. La production industrielle américaine avait commencé à ralentir. La demande de matériaux de construction était en baisse. Si des gens continuaient de s'installer en Floride, la plupart d'entre eux se contentaient désormais d'une location au lieu d'acheter un logement. Des banques faisaient faillites.

Au printemps 1929, Paul Sr. et sa famille partirent s'installer à Chicago, où il devint directeur-adjoint de la « Radio Aluminium Company of Chicago ». Tout allait bien pour lui dans son nouvel emploi quand il tomba malade ; c'était juste avant Noël. Il mourut d'une broncho-pneumonie le 3 janvier 1930, un mois avant le neuvième anniversaire de son fils ; il n'avait que 39 ans.

Paul Swank Jr., huit ans, leva les yeux de la cabane en rondins qu'il était en train de réaliser avec le jeu de construction apporté par le père Noël. Il n'arrivait pas à comprendre pourquoi sa grand-mère et sa tante avaient l'air si tristes. Pourquoi donc étaient-elles en train de chuchoter ? Pourquoi est-ce qu'elles pleuraient ? Pourquoi est-ce que sa mère n'était pas encore rentrée ? C'est alors qu'il eut de bonnes pensées ; peut-être va-t-elle ramener papa de l'hôpital. Quand elle rentrera, peut-être qu'elle me préparera un bon chocolat chaud.

Mais le père de Paul ne rentra pas chez lui.

Quelques jours plus tard, un petit garçon, solennel, tenant la main de sa mère, allait suivre le corps de son père jusqu'à sa dernière demeure. Sans pleurer, juste en clignant des yeux aussi fort qu'il le pouvait, en semblant s'interroger sur ce que tout cela signifiait.

Mary Ivy Swank et le jeune Paul n'allaient heureusement pas être abandonnés.

La mère de Paul avait, elle aussi, passé son enfance dans le sud du Missouri. Les deux côtés de sa famille vivaient dans la région vallonnée à l'ouest de Cap Girardeau. Sa famille aussi cultivait la terre depuis plusieurs générations.

Le côté Ivy de sa famille était installé à l'ouest de Cap Girardeau, une ville très animée située sur un promontoire au-dessus du Mississippi, au nord du confluent de celui-ci avec l'Ohio. Leur ferme était située entre les villes de Greenville et de Lutesville. Le père de Mary, Henry McPherson Ivy, était né en 1862. Aîné de cinq enfants, il avait deux frères et deux sœurs. Sa mère était morte d'une pneumonie alors que son dernier-né n'avait que deux ans. Henry avait passé son enfance dans une grande ferme entourée de terres vallonnées qui descendaient jusqu'à une rivière nommée « Bear Creek », à une quinzaine de kilomètres à l'est de Greenville. Son père, Conway Ivy, un colon, était également juge du comté de Wayne, ainsi que receveur de la poste de Bear Creek.

La mère de Mary, Cynthia Melvina Emalina Smith, était née le 17 avril 1863 ; elle était la benjamine de six enfants vivants, et la seule fille. Deux garçons étaient morts en bas âge. Son père, Andy, était mort le 29 mars 1870, victime d'une pneumonie. Cynthia avait passé son enfance dans une ferme de 400 hectares, sur des terres vallonnées, à un kilomètre au nord du petit village de Glen Allen, juste à l'ouest de Lutesville. Un de ses frères, Roswell, avocat, avait été élu Représentant au Congrès et avait même été ambassadeur en Haïti ; un autre frère, Elijah, était pasteur de l'église « Southern Methodist » ; Andrew était médecin et John, après avoir été instituteur pendant quelques années, était désormais dans les assurances à Nashville, dans le Tennessee. Jeff, lui, avait repris la ferme familiale après le départ de ses frères.

Cynthia et Henry s'étaient rencontrés dans une colonie de vacances de leurs églises, à la limite des comtés de Wayne et de Bollinger. Ils étaient tous deux élèves à la *« Caledonia Academy »*. Henry obtint son diplôme de l'École normale de l'état, à Cap Girardeau, en 1882. Son mariage avec Cynthia eut lieu le 20 décembre de la même année.

Après leur mariage, Henry se lança avec un ami comme courtier en assurance à Sedalia, une ville située à une centaine de kilomètres à l'ouest de Jefferson City, la capitale du Missouri. C'est là que naquit leur premier fils, Horace Macaulay Ivy, le 19 janvier 1884. L'assurance ne lui plaisant pas, Henry devint rapidement le directeur de l'école de Thayer, une petite ville située à la limite de l'Arkansas. Une fille, qui fut nommée Adele, naquit en 1885, peu de temps après qu'Henry soit devenu directeur de l'école primaire de Gonzales, une ville du Texas traversée par la Guadalupe, qui se jette dans le Golfe du Mexique. Cynthia et son frère, John, y étaient instituteurs.

Adele mourut à deux ans. La famille s'installa alors à Bonham, une ville de taille moyenne à une centaine de kilomètres au nord-est de Dallas, où Henry se lança comme avocat. À l'époque, Roswell, le frère de Cynthia, était juriste chez Iron Mountain Railroad, une compagnie ferroviaire, dans la ville du Texas qui s'appelle Paris. Au bout de quelques mois et seulement quelques dossiers, Henry se retrouva dégoûté de la pratique du droit, qu'il abandonna pour organiser les écoles publiques de Waxahachie, toujours au Texas, dans la banlieue de Dallas.

À la mort de leur fille Beryl, à l'âge de deux ans, Cynthia et Henry vivaient à Marshall, une ville de l'est du Texas, toute proche de la Louisiane, où ils étaient instituteurs. Les deux fillettes étaient mortes de la fièvre jaune. Le Texas ne leur ayant décidément pas réussi, ils repartirent dans le Missouri, où Henry trouva un poste d'enseignant dans une école proche de Farmington, qui était à l'époque une ville d'environ 2000 habitants, au sud-est de l'état.

À l'automne de 1893, la famille et son nouveau-né, prénommé Andrew Conway, s'installèrent à Cap Girardeau, un port important sur le Mississippi. Henry avait été élu pour y enseigner les sciences à l'école normale d'instituteurs. Ils emménagèrent dans une grande maison à un étage, à proximité de celle-ci. Ils eurent deux autres enfants à Cap Girardeau - Mary Cynthia, née le 8 décembre 1895 et John Smith, né le 14 avril 1898.

Barbara Caroline Kinder Smith, qui avait continué à gérer la ferme pendant que les frères de Cynthia étaient tous à la maison, vint vivre chez les Ivy. Dix élèves, ainsi que cinq autres locataires, habitaient également dans la maison avec la famille.

On peut dire qu'Horace, le frère aîné de Mary Swank, a été le père de l'enseignement public dans l'état du Mississippi. En effet, il avait fait ses débuts dans l'enseignement à Yazoo City, une ville du Mississippi, en 1905. Il prit sa retraite en 1953 ; il était alors, depuis trente ans, directeur des écoles de Meridian, la grande ville de l'est du Mississippi. Il avait énormément contribué à améliorer l'éducation de tous les habitants du Mississippi. Son travail d'éducateur lui avait d'ailleurs valu de nombreux certificats et récompenses de toutes sortes.

Le frère de Mary, Conway, de deux ans plus âgé qu'elle, était devenu chercheur en physiologie. En plus d'un diplôme de médecin, il avait également son doctorat[2] . Physiologiste respecté, il était pendant la Seconde Guerre mondiale directeur scientifique du célèbre *« Naval Medical Research Institute »* à Bethesda (Maryland), en proche banlieue de Washington. Il fut d'ailleurs nommé, par le conseil d'administration de l'*« American Medical Association »*[3] , pour représenter de la science médicale, la déontologie et l'histoire aux

2 Note du traducteur : Aux États-Unis, on peut exercer la médecine sans doctorat
3 Note du traducteur : Association des médecins américains

procès de Nuremberg en 1945. Il fut l'un des auteurs du code de Nuremberg.

3 janvier 1930

PAUL JR. ÉTAIT ISSU D'UNE famille très unie. Après la mort de son père, son oncle, John Ivy, qui vivait au Texas, dans la grand ville de Houston, était devenu son tuteur. Il allait être une sorte de deuxième père pour Paul, grâce aux avis et conseils qu'il allait lui donner. Ayant perdu son propre père à l'âge de dix ans, John savait bien ce qui manquait à Paul. Après avoir passé plusieurs mois à Chicago avec un autre oncle, Andrew Conway Ivy, qui était médecin-chercheur, Paul et sa mère partirent à Nashville, dans le Tennessee, pour habiter avec un grand-oncle nommé John Smith. En 1932, après que Mary eut obtenu une maîtrise d'anglais, ils s'installèrent dans le Mississippi pour y rejoindre l'oncle Horace.

À l'automne 1936, Paul commença son entraînement militaire au lycée McCallie, un établissement privé de la grande ville de Chattanooga, au sud du Tennessee. À quinze ans, le jeune garçon qu'il était commençait à se transformer en l'homme qu'il allait devenir. Grâce à son sens aigu de l'humour, il se fit rapidement des amis à McCallie. Il avait également beaucoup d'amis à Houston.

Un après-midi, alors qu'il était en train de passer la tondeuse sur le terrain voisin de la maison familiale, son ami Ellis arriva. « Salut, Paul ! Quand est-ce que tu es rentré ? »

« Hier ! Mon train est arrivé en retard, sinon je t'aurais téléphoné. »

« Pourquoi est-ce que tu es en train de tondre ce terrain vide ? »

« Mon oncle John m'a dit que ce serait l'une de mes tâches pour cet été, et qu'il fallait que j'y passe la tondeuse une fois par semaine quand je serai à la maison. Ma tante Caro s'est arrangée avec le propriétaire du terrain. Elle lui a promis de l'entretenir s'il lui donnait le portique avec les balançoires. Écoute, j'ai une idée ! Tu vas me donner un coup de main ! Si tu passes la tondeuse pendant que je m'occupe de couper le gazon autour du toboggan et du portique, j'aurai fini plus vite et on pourra aller faire un tour. Je crois que nous allons au bord de la mer la semaine prochaine ; je n'aurai pas à tondre pendant ce temps, mais je parie tout ce que tu veux qu'on m'y donnera à faire un truc du même genre. Tiens, j'ai une autre idée ! Tom y sera aussi, ses parents ont une villa là-bas. Appelle-le. Je parie que tu pourrais passer quelques jours là-bas avec eux. On se marrerait bien. »

Quand il n'était pas au lycée, Paul et sa mère passaient la plus grande partie de leur temps avec l'oncle John et sa famille. Tante Caro, ou Tatie, comme il l'appelait, était comme une deuxième mère pour lui. Leurs quatre enfants - Caro, Jr., 8 ans, Barbara, 5 ans, John, Jr., 2 ans et la petite Mary, âgée d'un an à l'époque, étaient davantage que de simples cousins. Pour Paul, ils étaient ses sœurs et son frère. Pour eux, c'était leur grand frère bien-aimé ; il jouait avec eux, les taquinait, criait avec eux, et leur disait de partir quand ils lui cassaient les pieds. Il pouvait arrêter leurs disputes ; il aurait sans doute été capable d'arrêter une guerre totale. Ils savaient que, quand il disait quelque chose, c'était sérieux.

John, le plus jeune des frères, géologue et ingénieur pétrolier très respecté, a présidé la Commission des réserves, de la mise en valeur et de la disponibilité de pétrole du District 3 pendant la Seconde Guerre mondiale.

1936 – Clarksdale (Mississippi)

PAUL AVAIT QUATORZE ANS LORSQUE sa mère et lui s'établirent à Clarksdale, où Mary continua d'enseigner l'anglais et l'histoire au lycée de la ville.

À l'automne 1936, sa mère avait obtenu le poste de Doyenne des étudiantes à l'université de Huntingdon College à Montgomery, la capitale de l'Alabama. Paul était élève à McCallie, dans le Tennessee, où il était très heureux.

À la mi-novembre, il écrivait à sa mère :

> « La troisième équipe est allée à Darlington … et on s'est bien amusé ! … On a eu du très bon pain au dîner … avec plein de beurre[4] … les chambres de l'école sont bien, mais certainement pas les lits … j'ai joué pendant le deuxième et le troisième quart-temps[5] … à propos, nous avons perdu, 33 à 13 … je n'ai pas reçu une seule lettre, ni de tante Caro ni de personne d'autre … j'aimerais bien qu'ils m'écrivent comme ils le feraient pour n'importe qui d'autre dans la famille. »

En novembre 1936, l'Allemagne signa avec le Japon un pacte intitulé « Le pacte anti-Kominterm » auquel l'Italie se

---

4 Note du traducteur : Aux États-Unis, le pain est en général servi, avec du beurre, en début de repas.
5 Note du traducteur : Il s'agit d'un match de football américain

joignit l'année suivante. Le Japon voulait que l'Allemagne soit suffisamment forte pour forcer la Grande-Bretagne à partir d'Asie. Mussolini était prêt à laisser Hitler faire ce qu'il voulait en Autriche si Hitler le laissait faire ce qu'il voulait faire dans le bassin méditerranéen. À l'été 1937, la situation en Europe commençait à aller mal. Les tribunaux allemands ne pouvaient plus empêcher les activités de la Gestapo, et la police mettait en prison les gens qui tournaient Hitler en ridicule.

L'oncle John savait que la situation ne ferait qu'empirer. En juillet, Mary et Paul partirent passer l'été en l'Europe. Paul avait 16 ans ; il allait beaucoup apprendre de ce voyage. Il envoya de nombreuses cartes postales à sa famille à Houston. Il y disait à son oncle John à quel point il aimait l'Italie. Il parlait de l'art à Florence, et de la beauté de Naples et de Capri. Il avait trouvé les ruines de Pompéi intéressantes, et s'étonnait que le Vésuve soit toujours considéré comme un volcan actif.

Leur voyage les amena en France, en Angleterre, en Belgique et dans d'autres pays d'Europe. Il était particulièrement intéressé par la Roumanie, son oncle John lui ayant raconté y être allé quelques années auparavant. À cette occasion, l'oncle John y avait rencontré le roi Carol. Leur discussion avait porté sur la production pétrolière. Au départ de l'oncle John, le roi lui avait donné des cartes indiquant tous les champs de pétrole du pays.

Paul était toujours élève à McCallie quand sa mère obtint le poste de Directrice de la vie étudiante d'une université pour jeunes filles, le « Greensboro College for Women », à Greensboro, en Caroline du Nord, en 1939. Elle y était également nommée assistante d'histoire et de sociologie. L'année suivante, Paul allait s'inscrire à l'université.

Il avait maintenant une petite amie à Chattanooga ; elle s'appelait Betty. Bien qu'il ne fût pas un des meilleurs élèves, c'était un leader-né, et il était respecté comme « Cadet Leader[6] ».

Été 1938
Mobilisation en Allemagne

PAUL AVAIT SOUVENT DÉMÉNAGÉ DANS sa jeune vie, mais il y avait un endroit qu'il considérerait toujours comme chez lui : Houston, la grande ville du Texas. Au mois de juin, à la fin de l'année scolaire, sa mère et lui rentraient à Houston. Ils y étaient également tous les ans pour passer les fêtes de Noël avec l'oncle John, la tante

---

6 Note du Traducteur : Leader d'une classe, dans les lycées militaires américains.

Caro et toute la famille.

Il avait d'ailleurs de nombreux amis à Houston.

Pendant que Paul devenait un adolescent américain typique, le monde était aussi en train de changer, et pas en bien. Adolphe Hitler était devenu Chancelier d'Allemagne. Son parti, le parti Nazi, qui brûlait les livres, avait déclaré être désormais le seul parti politique en Allemagne. En 1934, Hitler était devenu le « Führer » de l'Allemagne. Le Japon s'était lancé dans la conquête de la Chine. Les adultes de la famille de Paul parlaient tous de ce qui se passait en Europe et en Chine. Ce qui intéressait Paul, c'était les filles, s'amuser avec ses copains, et ses cours.

La famille passait normalement le mois de juillet au bord de la mer, dans la baie de Galveston, près de Houston. De nombreuses autres familles de Houston y allaient aussi, pour échapper à la chaleur et à l'humidité de la ville. Eux y louaient une villa nommée « *the old Peden Place*[7] ». Elle n'avait pas l'air très vieille, mais c'était comme ça que tout le monde l'appelait. La villa était sur une hauteur dominant la baie. La pelouse descendait jusqu'à la mer, et elle disposait d'une petite jetée. La villa avait un vaste porche, entouré d'une moustiquaire, où tout le monde pouvait s'asseoir au coucher du soleil pour profiter de la fraîcheur apportée par la brise de mer.

Pendant la journée, la plus grande partie de l'activité se passait au bord de l'eau. Pour attraper des crabes, on attachait des os de poulet à des lignes accrochées aux poteaux de la jetée. Quand une ligne s'agitait, quelqu'un la tirait et attrapait le crabe avec une épuisette avant de le mettre dans une bassine à moitié remplie d'eau. Les crabes y restaient jusqu'à ce que la bassine soit remontée à la villa. L'emplacement était parfait même pour les plus petits ; en effet, l'eau était peu profonde autour de la jetée.

Le soir, après dîner, les enfants attrapaient des lucioles qu'ils mettaient dans un bocal par des trous qu'ils avaient percés dans le couvercle. Chacun des enfants posait son bocal à côté de son lit, et regardait les lucioles avant de céder au sommeil.

Pendant la semaine, l'oncle John travaillait à Houston, d'où il venait passer le week-end à Galveston. Il faisait systématiquement remarquer à Paul et à ses amis les bateaux japonais qui quittaient le port de Houston chargés de ferraille et d'acier. Il disait toujours : « J'ai bien peur qu'avant longtemps ils nous renvoient toute cette vieille ferraille sous forme de balles et de bombes. »

Paul, cependant, arrivait à passer du temps avec ses cousins. Son

---

7 Note du traducteur : la vieille villa Peden

oncle Conway et sa tante Emma habitaient à Chicago ; ils avaient cinq fils. Ils s'étaient fait construire une maison de campagne sur le lac Elk, dans le nord du Michigan, près de Traverse City. Certaines années, après la fin de la location à Galveston, Paul allait passer quelques semaines avec eux dans le Michigan avant de retourner à la fac. Jack, leur fils aîné, avait le même âge que Paul. Après lui, il y avait Bill et Andy, puis Bud, qui avait un an de plus que Caro, la fille de l'oncle John. Bobby, le plus jeune, était entre ses cousins Barbara et John.

On ne faisait pas que jouer au lac Elk, car il y avait toujours beaucoup de travail à y faire. Tous les travaux à l'intérieur de la maison étaient effectués par l'oncle Conway et ses fils. Il y avait toujours quelque chose à rajouter à cette maison. C'était rustique. Les WC étaient encore à l'extérieur. Il fallait faire la lessive à la main, avec de l'eau chauffée sur un poêle à bois, et la faire sécher en l'étendant sur une corde à linge.

Ils avaient récemment installés une canalisation pour amener à la maison l'eau du lac ; il n'était donc plus nécessaire d'avoir en permanence plusieurs seaux d'eau à la maison. On faisait quand même toujours sa toilette dans le lac. Mais maintenant il n'y aurait plus besoin d'aller chercher de l'eau au puit que pour la boisson et la cuisine.

Paul avait toujours aimé donner des coups de main. Il lui restait suffisamment de temps pour pêcher, pour nager et s'amuser avec les autres enfants de cette petite colonie. Il leur arrivait même parfois de traverser le lac en canoë pour rendre visite à des copains qui passaient l'été de l'autre côté

Le monde était en ébullition. En mars 1938, l'Allemagne nazie avait annexé l'Autriche. La guerre civile en Chine était finie. Les deux adversaires avaient en effet décidé, 18 mois plus tôt, de s'allier pour se battre contre le Japon. Mais les combats ne se passaient pas bien. Les Japonais avaient gagné des batailles à Taiyuan et à Shanghai ; ils avaient atteint le fleuve Jaune. Leur avance, toutefois, avait été arrêtée à la suite de la destruction des barrages sur le fleuve par les Chinois. Malheureusement, l'inondation qui en avait résulté avait tué plus de Chinois que de Japonais.

La dernière année de Paul à McCallie s'était bien passée. Il avait obtenu de bonnes notes à tous ses cours militaires. Il n'était toutefois pas aussi bon élève que ce que l'oncle John aurait, il en était sûr, espéré. Mais il était un meneur et avait de nombreux amis. Betty, à Chattanooga, était toujours sa petite amie.

Paul était rentré chez lui pour l'été ; il n'attendait qu'une chose, c'était d'aller à l'université de Davidson College, en Caroline du Nord, à la rentrée. Plusieurs de ses copains de McCallie étaient également inscrits à Davidson. Ses copains de Houston iraient à l'Université du Texas, à Austin, la capitale de l'État. Il n'aurait pas pu être plus heureux.

Hitler avait été très occupé pendant que Paul était en terminale. Il avait mobilisé l'armée allemande, occupé la Tchécoslovaquie et signé un traité d'alliance militaire avec l'Italie. La guerre civile en Espagne était terminée. La mauvaise nouvelle était que l'Espagne était maintenant une dictature dirigée par Franco.

L'été, lui, n'avait guère changé. Quand il était à Houston, le terrain du voisin avait toujours besoin de son attention. Comme d'habitude, la famille était allée passer un mois à la vieille villa Peden ; il était ensuite allé passer quelques semaines au lac Elk avec la famille de l'oncle Conway. La plus grande partie du mois d'août avait été consacrée à préparer sa rentrée à Davidson. Il y avait eu des vêtements à acheter, ainsi que des objets pour sa chambre en résidence universitaire. Il ne savait pas encore avec qui il allait partager celle-ci[8]. Sa mère travaillait toujours au Greensboro College, ce qui lui permettrait donc de la voir de temps en temps, les deux universités se trouvant dans le même état.

La première lettre envoyée à sa mère après la rentrée à l'université Davidson était pleine d'enthousiasm.

> « Quel endroit. Je n'ai jamais été nulle part où les autres gars sont aussi cordiaux et sympas. Je suis allé à Charlotte hier soir[9]. Ça, c'est une vraie grande ville. Elle me rappelle Houston plus que toutes les autres villes où j'ai mis les pieds. Depuis mon arrivée, je n'ai pas arrêté. Je veux que tu fasse connaissance de mon coloc. Il est bien. Il n'a pas beaucoup de conversation, mais nous allons bien nous entendre. »

La capitulation de la Pologne fut signée en septembre 1939. Octobre fut pire encore, avec le cuirassé britannique Royal Oak coulé par un sous-marin allemand. Hitler avait proposé un traité de paix à l'Angleterre et à la France, que ces derniers avaient refusé. En novembre, Hitler avait quitté une brasserie

---

8 Note du traducteur : Aux États-Unis, les chambres en résidence universitaires sont généralement prévues pour deux personnes.

9 Note du traducteur : Charlotte est la capitale de l'état de Caroline du Nord

munichoise quelques minutes avant l'explosion d'une bombe à retardement. En Pologne occupée, le port d'un brassard avec l'étoile de David avait été rendu obligatoire pour les juifs. Aux États-Unis, une loi instaurant la neutralité du pays avait été adoptée.

À Houston, Noël fut aussi animé que d'habitude, avec tous ses petits cousins attendant impatiemment l'arrivée du Père Noël. Paul était maintenant follement amoureux d'une fille prénommée Mary, qu'il avait rencontré l'été précédent à Houston. Il était allé à Chattanooga, pour rompre avec Betty, mais *« n'en avai[t] pas eu le courage, car tout le monde voit bien qu'elle m'aime beaucoup – que dois-je faire ? »*

9 janvier 1940

C'EST PEU APRÈS SON RETOUR À Davidson qu'eut lieu sa première tempête de neige de l'année, avec au moins 25 cm. Il faisait un froid de canard. Paul, dans une lettre à sa mère, écrivait qu'il

> « n'arrivait pas à comprendre pourquoi une personne sensée voudrait sortir pour être dedans. Tout ce que je veux, c'est que ça fonde le plus vite possible, parce que je déteste vraiment ça. » ...je veux toujours rompre avec Betty ...après tout, il faut que je sois honnête dans cette histoire...j'ai entendu dire par un copain de Chattanooga qu'elle raconte sur moi des histoires sordides. »

15 janvier 1940

DANS UNE AUTRE LETTRE À SA MÈRE :

> « (j'ai) déjà fait ce que je crois être le mieux au sujet de mes copines. Je n'en ai plus qu'une maintenant ... est-ce que tu pourrais essayer de récupérer tes photos ... de toute manière, il se peut que je veuille les donner à quelqu'un d'autre. »

La session d'examen commençait à la mi-janvier. Il n'était pas inquiet pour le français et l'anglais, mais pour la chimie c'était une autre histoire. Il était sûr de réussir son examen de maths, car il prenait des cours particuliers avec un étudiant de 4e année

« *ntelligentsia* ». Il avait envoyé son bulletin trimestriel à l'oncle John, en espérant que celui-ci ne serait pas trop mécontent, car Paul considérait que ses notes montraient des progrès.

Plus tard, vers la fin du mois, il écrivit à sa mère qu'il était à court d'argent, s'excusant ensuite de cette demande dans les lettres suivantes.

> « ça va aller… personne n'en saura rien... jusqu'à ce que j'envoie mon bulletin de notes à tatie (sa tante Caro) ... je l'enverrai tôt, pour qu'ils sachent .... après tout, l'oncle John t'a dit de ne pas m'envoyer d'argent, ne t'inquiète pas. » La fin de la première année de fac approchait pour Paul. Il était écœuré par toutes ses notes. Il avait raté tous ses examens Il était au 36e dessous en écrivant à sa mère : « J'ai fait envoyer mes notes à l'oncle John. Je n'arrive pas à lui écrire. Je n'ai pas le cœur de lui parler, après tout ce qu'il a fait pour moi. J'espère qu'il va m'appeler, parce que je voudrais savoir ce qu'il pense, mais je n'ai pas le courage de lui présenter des excuses. Tu sais, maman, il n'accepte pas les excuses, par plus pour lui que pour quelqu'un d'autre. Il dit que ce sont les résultats qui comptent, et je vais lui en donner, des résultats. Je vais avoir des bonnes notes, ou faire une dépression nerveuse !… Je préfère avoir de bonnes notes et une dépression nerveuse que de mauvaises notes en bonne santé… (je) vais en avoir, d'une manière ou d'une autre. Paul changeait alors de sujet : « Je vais avoir besoin d'une voiture pour le grand week-end qui arrive. »

En Angleterre, un rationnement des produits alimentaires de base avait commencé en janvier, suivi par la viande en mars. Les 135 membres d'équipage du destroyer britannique Exmouth avaient été perdus après son torpillage par un sous-marin allemand. Les Allemands avaient débarque en Norvège, étaient entrés dans Oslo en avril 1940, avant d'envahir la Belgique, la France, le Luxembourg et les Pays-Bas.

Pour Paul comme pour ses copains, l'été avait été le même, sans toutefois l'être vraiment. Ils étaient au courant de la guerre en Europe.

La France signa un armistice le 25 juin 1940. Les actualités, au cinéma, montraient l'armée allemande défilant sur les Champs Élysées. Hitler bombardait Londres. Quasiment toutes les semaines, ils apprenaient que l'Allemagne ou l'Italie avait envahi un autre pays.

Cet été-là, John travaillait chez un concessionnaire Ford que l'oncle John venait de racheter. Il y travaillait au service pièces détachées, avant de s'apercevoir qu'il était bon vendeur de voitures. Il partait au bord de la mer avec l'oncle John les vendredis après-midi. Ils discutaient principalement de la guerre. L'oncle John savait que les États-Unis seraient amenés à y participer. Ils parlaient de tous les bateaux transportant de la ferraille qu'ils voyaient passer. Paul décida qu'il essaierait d'en tenir une liste.

À la rentrée de septembre, Paul, qui avait changé d'université, irait à l'université du Texas, à Austin. Il en avait assez du froid et de la neige à Davidson. Avec ses cheveux blond foncé et ses yeux noisette, il était joli garçon. Toutefois, il commençait à s'inquiéter d'un début de calvitie. Il n'avait aucune envie de se retrouver chauve, comme l'oncle John. Grand jeune homme dégingandé de 1,80 m pour un peu plus de 70 kg, tous ses vêtements étaient maintenant trop petits pour lui. La tante Caro l'emmena s'en acheter d'autres.

Il allait partager une chambre en résidence universitaire avec Jay et Ellis, deux de ses copains. Comme la plupart des étudiants de son âge, ses centres d'intérêt étaient les filles, les confréries étudiantes, si importantes dans les universités américaines, et ses cours. Pour la première fois en cinq ans, il avait un logement suffisamment calme pour étudier. *« L'oncle John m'a dit que, pourvu que j'ai de bons résultats, je pourrai faire ce que je veux. »*

Tout était bath.

Il revint passer Noël à Houston. C'était toujours amusant, parce que tous les enfants, sauf Caro, croyaient au Père Noël. Caro était contente, parce qu'elle pouvait redescendre de sa chambre et aider à décorer l'arbre de Noël après que les autres soient couchés. Sa mère, et sa grand-mère, que ses petits-enfants appelaient « Momma », étaient là aussi.

À peine Paul était-il descendu de la voiture et disait-il au-revoir à Jay et à Ellis, qu'il fut attaqué par les bambins. Paul attrapa la petite Mary, la posa sur ses épaules, saisit la main de John et rentra par la porte de derrière. Caro et Barbara se disputaient pour savoir laquelle rentrerait sa valise. La mère et la grand-mère de Paul devaient arriver le lendemain.

Il allait bientôt falloir que Paul et ses copains se fassent recenser pour le service militaire.

Avril 1941
Capitulation de la Yougoslavie. Capitulation de la Grèce.

LES CHOSES ÉTAIENT DIFFÉRENTES à Austin en 1941. Désormais, la plupart des conversations portaient sur ce qui se passait en Europe. Le Japon était en train d'occuper toute l'Asie, à l'aide de la ferraille qu'il avait vu sortir du port de Houston. L'avenir n'était plus le même pour ces jeunes gens. Certes, ils étaient retournés à leurs études et, certes, ils s'amusaient à la fac, mais l'avenir était incertain. Il se pouvait maintenant qu'ils soient obligés d'interrompre leurs études pour aller se battre dans une guerre.

Paul faisait maintenant partie de la confrérie « Sigma Chi ». Ils suivait des cours de chimie, de physique, de français, d'histoire et d'anglais ; il avait de bonnes notes partout, sauf en anglais. Il avait une nouvelle petite amie, prénommée Harriet. Celle-ci était irritée contre lui, parce qu'il était sorti avec sa colocataire, tout en considérant que sortir avec un autre garçon ne posait pas de problème pour elle. Combien de temps cette relation allait-elle pouvoir durer ?

Depuis le début de l'année, les États-Unis essayaient d'améliorer leurs relations, tendues, avec le Japon. Les États-Unis, la Hollande et la Grande-Bretagne avaient, suite à des négociations secrètes, décidé une défense commune de leurs territoires en cas d'attaque japonaise. Des renforts étaient arrivés aux Philippines, et le Japon avait été prévenu. L'Allemagne et l'Italie avaient reçu l'ordre de fermer leurs consulats aux États-Unis.

L'été fut très occupé. La tante Caro avait eu un bébé, qui avait été nommé Conway. Paul, qui s'intéressait à la géologie, travaillait pour la « United Gas System », sur des chantiers de gazoducs et des forages. Mary Swank (« Tatie » pour les cousins de Paul) était à Houston pour aider à s'occuper des enfants, ainsi que « Momma ». Pour rendre les choses encore plus intéressantes, la tante Caro et l'oncle John avaient acheté une maison, dans laquelle ils avaient prévu de déménager en octobre, pour leur anniversaire de mariage. C'était une grande première car, jusque-là, ils avaient toujours été en location. Ils avaient habité dans cinq maisons différentes. Chaque fois que la tante Caro avait été enceinte, ils avaient emménagé dans une nouvelle maison.

En juillet, les États-Unis suspendirent leurs relations avec le Japon et saisirent tous les actifs japonais aux États-Unis. Peu de temps après, les États-Unis annoncèrent un embargo pétrolier contre tous les agresseurs. Hitler déclara un blocus des îles

britanniques ; au Japon, Tojo fut nommé premier ministre.

À la rentrée, Paul repris les cours à l'Université du Texas pour sa 3e et avant-dernière année. Il suivait cette année-là un cours de génie civil, qui lui plaisait beaucoup, deux cours de géologie, des maths et un cours de sciences politiques. Ses professeurs étaient impressionnés par la clarté de ses opinions. Il avait de bonnes facultés d'écoute.

Toutes qualités qui allaient faire de lui un bon meneur d'hommes.

Le campus était maintenant en pleine effervescence. Tout le monde était préoccupé par ce qui se passait dans le monde, en dehors du Texas. Certains des étudiants commençaient même à discuter avec les divers groupes de réservistes.

Paul vit la nouvelle maison des Swank pour la première fois à l'occasion de la fête de Thanksgiving[10]. On ne parlait que de la grande fête de famille prévue par l'oncle John et la tante Caro pour « Momma ». Il y aurait sept personnes venues de Chicago, et quatre du Mississippi – six si Mac et sa femme Frances pouvaient venir. En plus des dix personnes déjà à la maison, ça promettait une sacrée maisonnée. La tante Caro avait tout organisé. Avec l'oncle John, ils coucheraient dans le porche. Les trois filles coucheraient dans la chambre des parents, avec le bébé. L'oncle Conway et la tante Emma seraient dans la chambre du nord, et « Tatie » et « Momma » dans la chambre sud. L'oncle Horace et la tante Beryl, ainsi que leur fille, qui était aussi nommée Beryl, auraient la chambre ouest. Si Mac et Frances pouvaient être là, ils coucheraient dans la chambre de Paul, au second. Le reste, les huit garçons, occuperaient la grande pièce du second. Une fête de sept jours allait commencer le 11 décembre.

7 décembre 1941
Le Japon bombarde Pearl Harbor

PAUL ET SES COPAINS eurent l'impression que le monde s'était renversé. Il lui tardait d'être chez lui et de parler à l'oncle John qui, avec son poste à ondes courtes tout neuf, était à l'écoute de Radio Honolulu ce dimanche funeste. À la radio, le présentateur avait arrêté la musique qu'il passait. Il était dans un studio avec vue sur le port. L'annonceur, la voix tremblante, s'était mis à énumérer les noms des bateaux touchés et endommagés sous ses yeux. Il nommait les bateaux en train de couler, les marins sautant par-dessus bord.

---

10 Note du traducteur : Le pont de Thanksgiving, le 3e jeudi de novembre, est traditionnellement l'occasion de se réunir, pour les familles qui sont souvent dispersées,

L'oncle John avait ouvert son encyclopédie maritime, le célèbre « *Jane's Fighting Ships* », pour y noter les bateaux endommagés ou coulés.

La grande fête de famille restait toutefois à l'ordre du jour. Il n'était pas question de laisser l'attaque surprise du 7 décembre affecter les réjouissances. En effet, qui pouvait savoir où les participants se trouveraient en 1942 ? La tante Caro était bien préparée pour tous ses invités. La table de la salle à manger fut mise dans mise dans un coin opposé de la pièce. Toutes les rallonges furent installées, et la table de la pièce du petit-déjeuner fut ajoutée au bout, pour être sûr d'avoir de place pour tout le monde. Ceux qui s'asseyaient d'un côté de la table devaient passer par le hall d'entrée, alors que, pour ceux qui devaient s'asseoir de l'autre côté, il fallait passer par la pièce du petit-déjeuner.

Ce furent sept jours de joie pour tous, avant le retour vers les soucis du monde.

Nous étions désormais en guerre !

Et d'un seul coup, c'était Noël. Comme d'habitude, les Clark et les Scheer étaient venus pour le réveillon. Ils allaient aider à décorer l'arbre, et à mettre les cadeaux dessous. C'était une tradition. Avant d'aller se coucher, les enfants avaient accroché leurs chaussettes à la cheminée[11]. Ils n'avaient pas eu le droit de monter au second depuis la grande fête. C'était le domaine réservé de la tante Caro jusqu'après Noël. L'arbre avait été dissimulé sous une bâche, derrière le garage. On l'avait rentré dans la maison, où il fut installé dans le porche fermé. Les lumières de l'arbre, les boîtes de cadeaux emballés et les objets du Père Noël avaient alors été descendus du second. Cela allait être la deuxième année que Caro participait.

En descendant de sa chambre, Paul entendait les bavardages et les gloussements des enfants. Ils s'étaient levés tôt, il le savait. La tante Caro faisait son possible pour les tenir jusqu'à ce que l'oncle John, « Tatie » et « Momma » soient réveillés. Les quatre enfants étaient serrés les uns contre les autres en haut de l'escalier, attendant le moment de se précipiter en bas. Avant de pouvoir descendre, leur père, en robe de chambre et pantoufles, allait amener sa mère au rez-de-chaussée et la faire asseoir, pour qu'elle puisse assister à l'action. La mère de Paul serait derrière eux. Un signe à la tante Caro, qui portait le bébé, Conway, en bas de l'escalier, et les enfants pourraient enfin s'élancer.

---

11 Note du traducteur : Aux États-Unis, les enfants accrochent des chaussettes à la cheminée pour les cadeaux.

Janvier 1942

Le Japon prend Manille, envahit la Birmanie et les îles Salomon. À Washington, création d'une Commission des tarifs de guerre et du rationnement, et début du rationnement des pneus. En effet, le Japon occupe les pays du sud-est asiatique, coupant l'approvisionnement en caoutchouc servant à fabriquer les pneus. Les femmes commencent à travailler en usine. Elles allaient y fabriquer des avions, des chars d'assaut, des armes et toutes sortes d'objets nécessaires aux combattants pour vaincre l'Axe.

Paul retourna à la fac, à Austin. Plusieurs de ses copains n'y étaient pas revenus, car ils s'étaient engagés après Pearl Harbor. De nombreux autres s'étaient engagés comme réservistes, et partiraient au service actif après leur diplôme. Paul était très déçu. Il avait été réformé à cause de sa vision insuffisante. « *On dirait que les Marines, l'armée de terre, la marine et les Garde-Côtes tiennent absolument à ce qu'on ait une vision parfaite.* » Ellis et Harriet avaient prévu une fête surprise pour le vingt-et-unième anniversaire de Paul.

En avril, la guerre avait empiré. La Luftwaffe s'était mise à bombarder des villes de province en Angleterre. La RAF avait bombardé Rostock quatre nuits de suite. Bataan avait capitulé face aux Japonais, et la tristement célèbre « marche » de Bataan avait commencé. Seule bonne nouvelle : le raid de bombardement sur le Japon réalisé par le général Doolittle et ses hommes. Enfin ! L'Amérique rendait les coups !

En mai 1942, le rationnement s'était aggravé aux États-Unis ; maintenant, c'était au tour de l'essence et du sucre. La tante Caro avait dû se présenter devant la Commission de rationnement locale, et y déclarer toutes les provisions qu'il y avait à la maison. Elle avait déclaré avoir des sacs de sucre, de farine et autres produits alimentaires. Ils crurent d'abord avoir affaire à une accapareuse. Ils avaient été stupéfaits en apprenant qu'elle avait toujours acheté en grandes quantité, parce qu'elle avait une grande famille et que cela revenait moins cher ainsi. D'un seul coup, chaque personne d'une maisonnée devait obligatoirement avoir un carnet de rationnement.

La mère et la grand-mère de Paul vinrent à Houston pour Pâques. « Momma » ne retournerait pas en Caroline du nord. Mary, elle, allait repartir à Greensboro pour y finir le troisième trimestre.

En raison du rationnement de l'essence et de la pénurie de pneus, Paul était inquiet à l'idée de sa mère revenant seule de Greensboro en voiture. En effet, il ne pourrait pas y aller et revenir avec elle, car il était inscrit à des cours de géologie à l'université de Houston qui commençaient le 6 juin. La guerre n'avait pas l'air de vouloir de lui, et il n'avait rien d'autre à faire.

Toute sa famille participait à l'effort de guerre. L'oncle John travaillait désormais, pour le salaire symbolique annuel de 1 $, comme consultant en approvisionnement en pétrole pour le Bureau de la production de guerre. C'était la seule personne en qui les grandes compagnies pétrolières avaient suffisamment confiance pour communiquer les chiffres de leurs réserves de pétrole, chiffres nécessaires pour organiser avec prudence l'augmentation maximale possible de la production.

L'oncle Conway passait l'essentiel de son temps à Bethesda, dans la banlieue de Washington, où il était directeur scientifique du « *Naval Medical Research Institute* ». Même ses jeunes cousins, à Houston, étaient occupés. Ils tiraient leur chariot[12] dans tout le quartier pour ramasser les journaux, les revues et le papier d'aluminium. Quand ce n'était pas cela qu'ils faisaient, ils jouaient aux commandos en rampant dans les azalées pour aller attaquer des nazis imaginaires.

---

12 Note du traducteur: un petit chariot rouge à 4 roues, que l'on tire derrière soi, est un jouet traditionnel des enfants américains

CHAPITRE 3

Une lettre surprenante

JUILLET 1942

Bataille d'El Alamein.
Le Japon contrôle Guadalcanal

PAUL EST EN TRAIN de travailler dans le bureau de l'oncle John. On dirait que toutes les personnes que Paul connaît sont dans l'armée de terre, dans la marine ou dans l'armée de l'air. Certains sont même partis à l'étranger. Paul est sûr que son oncle John pourra lui obtenir une dérogation pour sa vision. Il pourrait alors faire un stage d'élève-officier. L'idée déplaît à l'oncle John, qui refuse.

Les Forces françaises libres sont chassées de Bir Hakeim par Rommel, qui prend Tobrouk, en faisant prisonniers 35 000 britanniques. Le 8 août, première offensive alliée : le débarquement à Guadalcanal.

17 août 1942
Premier bombardement aérien en Europe effectué uniquement par les Américains

À SA GRANDE SURPRISE, Paul reçoit sa feuille de route par la poste. Heureusement, il n'est plus classé 4F. L'oncle John l'accompagne au bureau du service militaire, et il est pris dans l'armée de terre, comme 2e classe. Le soir du 18 août, il est dans le train à destination de Fort Sam Houston, près de San Antonio, pour y attendre son affectation. Sa mère est déjà repartie en Caroline du Nord pour la rentrée. L'oncle John et la tante Caro l'emmènent à la gare, laissant Momma en larmes à la maison.

À San Antonio, Paul passe une visite médicale complète (personne ne semblant d'ailleurs s'inquiéter qu'il porte des lunettes), est vacciné, puis passe examen sur examen. Après tous ces examens, il apprend que l'armée de terre a besoin d'officiers, et on lui conseille de postuler à un stage d'élève-officier. Cinq jours plus tard, il se retrouve à Sheppard Field, au nord du Texas, près de Wichita Falls. Il fait ses classes dans les forces aériennes[13] et s'y trouve très heureux. Son escadrille dispose en propre d'un réfectoire, de salles de lecture, d'une salle de récréation, d'un gymnase et d'un magasin.

Il écrit à sa mère

> « C'est vraiment quelque chose, et ça me plaît beaucoup. En plus, je pense que ça va s'améliorer avec le temps. ». Il ajoute : « Ce qu'on dit à propos des adjudants est vraiment vrai - je ne crois pas qu'ils aient une once de gentillesse en eux. [...] malgré toutes les contraintes physiques et mentales et le stress, je suis vraiment heureux.
>
> « L'adjudant m'a demandé pourquoi je n'ai pas fait une demande pour être mitrailleur en vol ; je lui ai répondu que j'espérais vivre plus longtemps que ça. Il m'a dit que c'était sans doute parce que je n'avais pas de courage, alors je lui ai dit que j'en avais beaucoup, mais que je tenais à le garder. Ça la lui a vraiment coupée. Ici, on dit que les adjudants ne sont que des 2e classe à qui on a mis le cerveau KO. C'est absolument vrai. »

Paul réussit tous ses examens avec des notes excellentes. Tout l'exercice qu'il fait commence à se voir. Il a perdu 5 cm de tour de taille, et il les a gagnés en tour de poitrine.

Septembre 1942
Baie de Milne (Nouvelle-Guinée) – Première défaite d'une force terrestre japonaise

PAUL, DÉSORMAIS CAPORAL, avait déjà été chef de peloton et avait entraîné des hommes quand il fut muté à Sioux Falls, dans le Dakota du sud, le 13 septembre. C'est là qu'il fit une demande pour un stage

13 Note du traducteur : Les forces aériennes américaines (« Army Air Corps ») dépendaient de l'armée de terre. L'US Air Force ne sera créée qu'en 1948.

d'élève-officier. En raison de la guerre, la durée du stage avait été réduite, passant de six à trois mois.

Il écrivait à sa mère :

> « On m'a affecté au stage d'opérateur radio…Trente d'entre nous ont été choisis pour faire du décryptage… Je n'ai pas le droit de parler du travail dans le groupe de décodage…Nous travaillons avec des fréquences spéciales qui sont presque impossible à intercepter… Quand j'aurais fini ce stage, si je ne suis pas pris pour être élève-officier, je serai technicien. »

Ses cours ont lieu la nuit, de 23 h à 7 h du matin.

La première tempête de neige, peu de temps après son arrivée à Sioux Falls, lui rappelle combien il déteste le froid et la neige. Grâce à ses cours de radio la nuit, il est content de pouvoir travailler dans une pièce bien chauffée. Après les cours, il peut dormir jusqu'à 14 h. Après cela, il suit des cours de tactique. Il n'a pas beaucoup de temps libre car, après les cours de tactique, c'est l'heure du repas du soir, suivie par plusieurs heures d'étude avant de retourner aux cours de radio. Paul a des résultats excellents à ses cours de radio et de décryptage. Il est le meilleur de son groupe dans le troisième cours : radiotechnique.

Octobre 1942
Les champs de mines posés par Rommel n'arrivent pas à arrêter les blindés alliés

LE 18 OCTOBRE, il écrit qu'il vient de passer une semaine à l'hôpital avec une bronchite, mais qu'il va bien maintenant. Dans la lettre suivante à la famille, il parle de son nouveau cours.

> « Je fais partie des 200 types qui ont été sélectionnés parmi les 18 000 hommes du camp pour suivre un entraînement spécial à "l'art de tuer".Nous effectuons un entraînement qui avait, jusqu'à maintenant, été réservé aux officiers des "Marines". C'est dur pour un appelé comme moi. On nous enseigne tout un tas de trucs, y compris les subtilités du jiu-jitsu. Ça va me servir sous peu. Je suis content d'avoir été sélectionné, parce que c'est une étape vers le stage d'élève-officier. »

La journée de Paul commence à cinq heures du matin pour se terminer à vingt-trois heures. Il continue de suivre ses cours de radio, mais ne s'inquiète pas, ayant appris que c'est la durée de la journée pendant les trois mois du stage d'élève-officier. Il considère que tout ce qu'il fait va l'aider à être accepté pour le ce stage.

En novembre, le café, la viande, le fromage, le beurre et les graisses s'ajoutent aux produits rationnés. Élevée dans une plantation en Louisiane, la tante Caro achète davantage de lait, qui n'est pas rationné.

Elle sait faire du beurre à partir de la crème. Elle peut ensuite se servir des tickets de rationnement ainsi rendus disponibles pour acheter de la viande.

Les Alliés débarquent en Afrique, et les Allemands occupent le reste de la France. Une bataille navale met aux prises le Japon et les États-Unis à proximité de Guadalcanal.

18 novembre

PAUL SE PRÉSENTE, pour la deuxième fois, devant la commission de sélection au stage d'élève-officier. Il est surpris de rester si calme. Il est classé « Officier du génie ». Ses réponses à toutes sortes de questions semblent avoir plu aux membres de la commission. Il ne lui reste plus qu'à réussir l'épreuve de sport, ce dont il est sûr.

> « Je suis si content que je ne sais pas quoi faire », écrit-il à sa mère. P.S. : fais attention à **ne parler à personne** de ma sélection pour le stage d'élève-officier. J'ai appris à ne pas vendre la peau de l'ours avant de l'avoir tué – parfois à mes dépens… Achète quelque chose à Harriet pour Noël… Les listes pour le stage d'élève-officier doivent être finalisées pour le 1er décembre… Deux de mes hommes ont été portés déserteurs… Touchons du bois. »

Janvier 1943 Fort Belvoir (Virginie)

Rencontre Churchill-Roosevelt à Casablanca. La presse annonce qu'ils n'accepteront qu'une capitulation inconditionnelle d'Hitler et de son armée. La huitième armée, commandée par Montgomery, prend Tripoli et repousse Rommel et ses tanks en Tunisie.

Paul continue son entraînement dans le Dakota du sud, en attendant de savoir s'il est accepté pour devenir officier. La météo, qu'il déteste tant, ne dépasse toujours pas -20°, avec énormément de neige, sans un seul rayon de soleil.

La fin janvier apporte de bonnes nouvelles. Paul est finalement envoyé à Fort Belvoir, en Virginie, pour devenir officier du génie. L'horizon commence à s'éclaircir

Les Alliés contrôlent maintenant la totalité de la Libye, et l'île de Guadalcanal est enfin prise. Pour les Américains, la vie devient plus difficile ; en effet, à partir du 9 février, ce sont maintenant les chaussures qui sont rationnées.

Le stage d'élève-officier n'est pas une sinécure. Quand il n'est pas en train de passer un examen quelconque, c'est qu'il est en train de faire une marche de 10 kilomètres, ou de subir une revue de détail. Il faut continuellement se dépêcher de terminer quelque chose pour pouvoir commencer autre chose. On leur demande de faire l'impossible, essentiellement pour voir s'ils vont simplement essayer. Il a eu droit à neuf interrogations écrites. Il a obtenu de bonnes notes à huit d'entre elles, et en a raté une, ce qui l'a beaucoup déçu, jusqu'à ce qu'il s'aperçoive que tous les autres l'ont ratée aussi. À peine est-il arrivé qu'on le mute déjà dans une autre compagnie. De la compagnie X, il va passer à la compagnie E. Il commençait tout juste à se sentir chez lui à la X. Seuls 10 d'entre eux sont mutés à la E. C'est la plus dure. *« Le chef de corps dit que, s'ils réussissent, ils ne resteront pas sous-lieutenants bien longtemps. »* C'est lui qui commande sa promotion. Il devrait avoir fini autour du 15 avril 1943.

À la fin du mois de mars, Paul écrit à l'oncle John :

> « Ce stage est ce que j'ai fait de plus difficile. C'est une épreuve permanente destinée à tester nos possibilités et notre ingéniosité. Au début, tout a l'air simple, mais on ne nous donne des choses difficiles à faire que quand on est si fatigué qu'on peut à peine tenir debout, et alors ça n'arrête plus… On nous a dit que nous sommes un groupe exceptionnel, parce que seulement quarante pour-cent de la promotion a été viré. »

12 mai 1943

Capitulation des armées allemande et italiennes en Tunisie. L'Amérique envahit les îles Attu, tout au bout des Îles Aléoutiennes. Rencontre Roosevelt-Churchill à Washington.

Le 13 mai, Paul écrit à sa mère qu'il est à l'hôpital. Il y annonce avoir reçu son diplôme, mais pas encore son brevet d'officier, qu'il allait recevoir deux jours après sa sortie de l'hôpital. Le 27 mai 1943, Paul était nommé sous-lieutenant du génie, et admis au service actif le même jour.

Le sous-lieutenant Paul A. Swank, fraîchement émoulu, avait reçu l'ordre de partir pour Camp Claiborne, en Louisiane. Il avait sa première permission de dix jours, et en profiterait pour aller à Houston. Il espérait pouvoir y être avant le départ de l'oncle John pour l'Amérique du Sud. Ensuite, il partirait à Camp Claiborne, où il allait être assistant administratif du chef de corps, en même temps que chargé de l'entraînement.

La partie entraînement ne serait pas entièrement nouvelle pour lui, puisqu'il avait suivi un entraînement militaire à McCallie, et qu'il avait été élève officier de réserve à Davidson. Toutefois, dans ce cas, ce serait nettement plus difficile. En plus des exercices d'ordre serré, il y aurait encore des examens à passer. Il écrivit à sa mère,

> « Je vais te dire, quand je serai nommé officier, je m'occuperai de mes hommes un peu mieux que certains de ces lieutenants. Ma philosophie de l'existence est basée sur l'équité et la justesse. »

C'est à Camp Claiborne qu'il fut approché par l'OSS, qui avait été récemment créée par le général Donovan.

CHAPITRE 4

Le début des groupes opérationnels

EN 1939, AU DÉBUT de la guerre en Europe, l'« *Office of Naval Intelligence* » (le service de renseignement de la Marine) et le bureau G2 du Ministère de la guerre étaient les seules et uniques agences de renseignement des États-Unis[14]. Pour parer à cette insuffisance, le président Roosevelt créa le poste de Coordinateur du renseignement (CR) le 11 juillet 1941. Le poste était conçu pour recueillir et analyser tous les renseignements relatifs à la sécurité nationale. William Donovan, surnommé « Wild Bill » (Bill le sauvage), en fut le premier directeur.

Donovan étudia avec beaucoup de détails le « *Special Operations Executive* » (SOE) des services de renseignement britanniques. Muni des informations qu'il avait acquises sur ce service britannique, il proposa un certain nombre de changements au président Roosevelt. Le 13 juin 1942, Roosevelt transforma le CR en « *Office of Strategic Services* » (OSS) (Bureau des services stratégiques)[15].

Une directive datée du 23 décembre 1942 chargea l'OSS de l' « Organisation et [de] la conduite d'une guerre de partisans »[16]. L'OSS était divisée en plusieurs directions, conformément à la conception

---

14 Journal de l'association de l'OSS, Vol. 1 N° 1
15 Central Intelligence Agency : Nouvelles & Informations
16 Histoire de l'OSS – Histoire des GO (Association de l'OSS – Hiver 2007)

qu'avait Donovan d'une agence de renseignement. Celle dont il était le plus fier, les groupes opérationnels (GO), allait être le précurseur de toutes les « forces spéciales ».

Les États-Unis ont la chance d'avoir, parmi leur population, des gens parlant différentes langues, venus de différents pays à la recherche d'une vie meilleure. Leurs enfants parlent souvent deux langues : celle de leurs parents et celle qu'ils ont apprise à l'école. Donovan était persuadé qu'il était possible d'entraîner ces soldats américains, qui parlaient la langue d'un pays occupé, à la tactique des commandos. Le projet prévoyait de les organiser en petits groupes ayant des parents originaires d'un même pays, groupes qui seraient parachutés en territoire ennemi pour appuyer et encourager les combattants de la résistance locale à harceler l'ennemi.[17] Les GO furent créés par un Ordre spécial de l'OSS daté du 13 mai 1943, qui était ainsi autorisé à recruter au sein des deuxième et troisième armées[18].

Un programme de recrutement fut lancé. La pratique courante d'une langue étrangère était une priorité. Les soldats ayant des talents spéciaux, ou connaissant un pays étranger, étaient également recherchés. On proposa aux candidats intéressés de se porter volontaires pour des « services dangereux derrière les lignes ennemies ». Ne furent sélectionnés que ceux ayant réellement le désir de servir ainsi[19].

À la fin de la guerre, il y avait plus de 50 GO en France, en Italie, en Grèce, en Norvège, en Yougoslavie, et Chine et en Birmanie. Plusieurs centaines de commandos ayant reçu un entraînement spécial – environ 200 pour la France – y furent incorporés. Chaque groupe avait un nom de code. En France, pour la quasi-totalité d'entre eux, c'était un prénom féminin : Emily, Justine, Louise, Ruth, Pat et Peg, entre autres.

---

17 Groupes opérationnels de l'OSS
18 Histoire de l'OSS – Histoire des GO (Association de l'OSS – Hiver 2007)
19 Groupes opérationnels de l'OSS : http://www.militaryphotos.net

CHAPITRE 5

Washington

10 juillet 1943

Débarquement allié en Sicile

VERS LA FIN juillet 43, Paul fut convoqué dans un bureau. Un capitaine y était assis, avec un dossier épais posé devant lui. « Repos, lieutenant ! On dirait que vous vous êtes intéressé à pas mal de choses, en dépit du peu de temps que vous avez passé ici. »

L'officier lui posa tout un tas de questions à propos des cours qu'il avait suivi à Sioux Falls, ainsi que sur ceux qu'il avait suivi à la fac.

« Est-ce que les langues vous intéressent ? »

« Je parle un peu français, mon capitaine. »

« Qu'est-ce que vous voulez dire ? »

« Mon accent n'est pas très bon, mais je le lis, je l'écris et je le comprends très bien. »

Alors qu'au bout d'une trentaine de minutes de ce genre, Paul essayait de comprendre pourquoi on lui posait tant de questions, la dernière de celles-ci mobilisa toute son attention. Le capitaine voulait savoir s'il serait intéressé à se porter volontaire pour « un service dangereux derrière les lignes ennemies. »

Paul, qui avait passé plus d'un an à essayer de partir au combat, accepta sans hésitation.

Août 1943
Les Alliés bombardent les champs de pétrole de Ploesti, en Roumanie

PAUL REÇOIT SA NOUVELLE feuille de route. Après une permission de sept jours, il doit se présenter, en civil, à une adresse appelée « Complexe de la rue E », à Washington.

De là, on l'emmena, en camion militaire bâché, dans un lieu simplement appelé « Zone F », qui se révèle être le « Country Club » du Congrès, le Parlement américain, près de Bethesda, banlieue limitrophe au nord de Washington. Réquisitionné par l'OSS en 1942, ce club de 150 ha était situé à une vingtaine de kilomètres au nord-ouest de Washington. À l'arrivée de Paul, il n'avait rien d'un « Country Club ». Il n'y avait pas de filets sur les courts de tennis. Le terrain de golf avait été transformé en parcours du combattant, avec des fossés, des sauts et autres difficultés. La grande salle à manger était devenue le mess des officiers, et la salle de bal transformée en une vaste salle de classe. Les officiers logeaient dans le bâtiment administratif.[20] À l'extérieur, il y avait des rangées de tentes partout, y compris tout autour de ce bâtiment.

L'OSS avait besoin d'espace pour l'entraînement de ses volontaires. La décision d'utiliser les parcs nationaux de la région de Washington à cet effet avait été prise dès le début. Chacun des parcs sélectionnés couvrait au moins 3600 hectares de terrain vallonné, boisé et sauvage. Ils ressemblaient aux endroits où les GO seraient parachutés en Europe. Ces parcs étaient à l'écart des grandes routes, avec très peu de voies de circulation. Mieux encore, ils appartenaient déjà au gouvernement fédéral.

L'objectif de l'OSS était de permettre à chaque homme de développer toute la mesure de son initiative, de son courage et de sa débrouillardise, l'objectif étant qu'il se développe en tant que personne. L'armée avait déjà de bons combattants qui savaient obéir aux ordres. Ici, aucune formalité de classe entre les officiers et les hommes du rang, peu ou pas de salut, pas d'entraînement à l'ordre serré. On ne marchait même pas au pas. Comme Donovan l'avait déclaré : *« Je préfère un jeune lieutenant ayant le courage de désobéir à un ordre à un colonel qui serait rigide au point d'être incapable de penser et d'agir par lui-même. »*[21]

L'entraînement de base pour tous commença dans la zone B

---

20 OSS Training: Vol. 54 No. 2 (Juin 2010) - par John W. Chambers II

21 OSS Training: Vol. 54 No. 2 (Juin 2010) - par John W. Chambers II - Studies in Intelligence Vol. 54 N° 2 (Juin 2010)

(le Parc national de Catoctin). Les trois premières semaines allaient servir à sélectionner ceux qui allaient être qualifiés. L'entraînement commença sans tarder, avec des exercices physiques exigeants, des parcours du combattant, des marches de nuit et l'emploi de toutes sortes d'armes en combat corps à corps. Paul écrivait à l'oncle John : *« On nous fait travailler de 6 h du matin à 11 h du soir, sept jours sur sept. Après ça, on nous donne deux jours de repos, quand plus personne n'en peut plus. »* Peu de gens connaissaient l'existence de cette nouvelle organisation, mais Paul savait que l'oncle John, qui passait beaucoup de temps à Washington, était bien au courant de l'existence de l'OSS. Il ne rentra donc pas dans les détails avec son oncle John. *« Je ne m'étendrai pas, parce que la prudence est la mère de la sûreté. »* Les candidats non qualifiés avaient rapidement abandonné.

Les hommes qui avaient survécu aux trois premières semaines furent transférés dans la zone A, à savoir les 2000 ha de la partie ouest du Parc de la forêt du Prince William, pour un entraînement plus spécialisé. Ce serait là qu'ils allaient apprendre des techniques plus complexes, par exemple l'identification d'objectifs inopinés, le recueil d'informations et le sabotage. Il fallait qu'ils soient conditionnés aussi bien physiquement que mentalement pour les actions agressives et impitoyables auxquelles ils allaient participer. L'entraînement allait comporter des attaques simulées sur des cibles réelles. La zone C, à savoir la partie est du Parc de la forêt du Prince William, faisait 1600 ha. La zone D, quant à elle, couvrait près de 600 ha de forêts sur la rive gauche du Potomac, une zone très rurale. Il y avait une zone E, qui se trouvait à une cinquantaine de kilomètres au nord de Baltimore, la capitale du Maryland. Aucune n'était éloignée du siège de l'OSS à Washington[22].

22 OSS Training: Vol. 54 No. 2 (Juin 2010) - par John W. Chambers II - Studies in Intelligence Vol. 54 N° 2 (Juin 2010)

CHAPITRE 6

En zone F avec les GO

1er octobre 1943

Les Alliés entrent à Naples

À LA ZONE F, le Country Club du Congrès, Paul passa la plus grande partie de son temps dans un bureau, comme responsable administratif. Mais il s'occupait aussi de l'entraînement des GO. Il se lia d'amitié avec le commandant Al Cox, qui devait jouer un rôle essentiel dans l'entraînement et l'organisation de tous les premiers GO. De temps en temps, Cox envoyait Paul à des réunions avec le FBI. C'est là qu'il fit la connaissance d'une jeune femme nommée Peggy Snyder. Il écrivit à sa mère

> « Au cas où tu serais intéressée, je sors avec une jeune femme, après ma triste expérience de Houston… mais celle-ci est bien… Elle est haut responsable du FBI, et travaille beaucoup pour nous… j'ai beaucoup de plaisir à être avec elle… ».

Peggy et lui avaient beaucoup de choses en commun. Elle avait un frère et trois sœurs, dont elle était l'aînée. Il comprenait cela, considérant ses jeunes cousins de Houston comme ses frères et sœurs.

> « Elle m'a invité chez elle pour Noël. C'est à Frederick, dans le Maryland. Il se peut que j'accepte, puisque je ne

vais pas pouvoir rentrer à Houston. Ce sont des gens très bien, très actifs dans leur paroisse, et grands connaisseurs en poulet frit[23]. Ça doit être ça, parce qu'elle fait bien la cuisine. Préparé exactement comme chez nous. En attendant, ne t'enthousiasme pas trop, je sais exactement ce que tu es en train de penser. »

2 décembre 1943

PAUL EST NOMMÉ lieutenant, et responsable administratif de l'unité GO norvégienne. Il est également adjoint de l'officier chargé de l'entraînement, et instructeur spécialisé en démolition. C'est alors qu'il était responsable de l'unité que celle-ci fut envoyée à Camp Hale, dans le Colorado, pour de l'entraînement. *« Ça, c'est bien l'armée. Je ne supporte ni le froid ni la neige, elle va donc m'envoyer dans l'Arctique, »* écrivit-il. S'il apprit à faire du ski, cela ne lui fit pas davantage aimer le froid ni la neige. Leur séjour au Colorado était prévu pour durer jusqu'après le nouvel an. Cependant, son entraînement au ski fut annulé ; il avait été rappelé à Washington. Sous sa direction, son groupe avait reçu une récompense du directeur adjoint de l'OSS.

Paul savait qu'il y avait quelque chose en préparation.

On lui accorda une permission de quelques jours à Houston. Il avait manqué Noël en famille, avec sa mère, sa grand-mère et le reste de la famille, mais il pouvait, en fermant les yeux, imaginer exactement comment cela s'était passé. Les enfants de l'oncle John avaient, très certainement, énervé toute la maisonnée pendant la semaine précédant Noël. Il avait également manqué le Noël prévu avec Peggy et la famille de celle-ci. Il aurait bien aimé y être, mais au moins il la verrait lors de son retour à Washington.

Pendant son séjour à Houston, il eut de longues discussions avec l'oncle John. C'est pendant l'une de celle-ci qu'il lui raconta un incident survenu pendant son entraînement dans la zone F. Paul expliqua à l'oncle John qu'il leur fallait être, en permanence, alertes, astucieux et débrouillards, tout en faisant preuve d'allant, le tout avec un talent pour la perfection. Il savait aussi que l'OSS attendait de lui qu'il inculque ces talents à ses hommes.

---

23 Note du traducteur : Les fritures de toutes sortes sont une grande spécialité culinaire des états du sud des États-Unis, Texas compris.

Il raconta une histoire à son oncle. Un jour, alors qu'ils étaient en manœuvres avec plusieurs autres groupes opérationnels, le bruit avait couru que le général Donovan y assisterait. Le général préférait observer ces manœuvres dans le confort de sa voiture personnelle, qui était une grosse berline, une Cadillac. Le lendemain de ces manœuvres, Paul et son sergent reçurent l'ordre de se présenter au bureau du général Donovan. Le général était mécontent, parce qu'il n'avait vu aucun des groupes de Paul, et voulait savoir où ils avaient bien pu être. Il se lança dans une longue tirade sur l'importance de ces manœuvres, sur le mal qu'il s'était donné pour démontrer, au président Roosevelt et à d'autres personnes, ce que les groupes opérationnels étaient capables de faire.

Paul confia alors à l'oncle John que, après avoir réussi à en placer une, il demanda à son sergent de faire cadeau au général Donovan d'une épée que son équipe avait façonnée à partir du pare-chocs arrière de la Cadillac en question. Ils avaient démonté le pare-chocs pendant que Donovan était dans la voiture, occupé à regarder les manœuvres. Le général fut stupéfait.

Ils avaient bien été alertes, astucieux et débrouillards, et même créatifs en plus, pas de doute.

De retour à Washington, Paul reçut un appel du commandant Cox, qui s'apprêtait à prendre un avion militaire pour l'Algérie. Le commandant Cox était devenu le chef de corps de toutes les sections de GO destinées à être envoyées dans le sud de la France. Il partait pour mettre en place des locaux pour ces sections à proximité de la 7e armée, en emmenant avec lui des membres de son état-major de la zone F. Paul était donc désormais affecté aux GO français, et allait devoir le rejoindre le plus tôt possible.

Entre temps, Paul et Peggy s'étaient fiancés.

13 avril 1943
L'Algérie est sous le contrôle des Alliés.

L'ALGÉRIE ALLAIT devenir le point de départ des actions de l'OSS dans le bassin méditerranéen.

L'OSS s'était installée en Algérie dès le début de 1943. Ils s'étaient installés à la Villa Magnol [sic], sur une colline à l'ouest d'Alger avec vue sur la ville et le port. Celle-ci était assez grande pour héberger toutes les sections de l'OSS – les Opérations spéciales (SO), le Renseignement (SI), les Opérations morales (MO), le Contre-espionnage (X2) et la section de Recherche et d'analyse (R & A). Toutes ces sections s'occupaient des pays méditerranéens.

10 juillet 1943

Débarquement en Sicile. Les Anglais et les Américains attaquent avant l'aube. Mussolini est arrêté le 24 juillet. Le lendemain, les troupes italiennes commencent à se retirer de Sicile. Après trente-huit jours de combats, les Allemands et les Italiens ont été chassés de l'île. Le débarquement Allié en Italie continentale commence à Salerne, le 3 septembre 1943.

Le premier groupe de GO à avoir fini sa formation était composé d'Américains d'origine italienne. Il arriva à la base de l'OSS en août 1943, où il fut nommé compagnie A du 2671e bataillon de reconnaissance, celui-ci étant rattaché à la Septième armée. Les GO français allaient devenir la compagnie B, et la compagnie C allait devenir le groupe des Balkans, ce dernier groupe étant divisé en deux grandes sections. L'une destinée à opérer principalement en Grèce, l'autre en Yougoslavie.

En Angleterre, le colonel Russell B. Livermore était responsable des GO opérant dans le nord de la France. Paul était l'aide de camp du commandant Cox, qui commandait maintenant les groupes d'opérations qui allaient être envoyés dans le sud de la France.

Cette partie de la France était dirigée par le gouvernement de Vichy du maréchal Pétain. Elle allait de la frontière avec l'Espagne sur la côte Atlantique, remontait jusqu'au Massif central en passant au sud de Lyon et s'étendait jusqu'au nord de Grenoble.

Les hommes du GO qui parlaient français n'étaient pas encore arrivés des États-Unis. Paul, avec quelques autres officiers, préparait l'hébergement pour la centaine d'hommes qui allaient arriver. Ils seraient logés au Domaine de la Trappe, non loin d'Alger, un grand domaine viticole créé par des moines trappistes.

L'OSS disposait à proximité d'un centre d'entraînement où les groupes opérationnels, répartis en 12 sections, chacune composée d'environ 15 hommes, deux officiers, un infirmier et un opérateur radio, s'entraîneraient au saut en parachute avec des matériels tant américains que britanniques. Ils s'entraîneraient également à sauter de bombardiers, à partir de l'emplacement destiné normalement à la tourelle ventrale, tout en continuant leur entraînement régulier dans les monts de l'Atlas.

13 janvier 1944

PAUL A ENFIN L'OCCASION d'écrire une vraie lettre à sa mère.

> « Nous avons vu énormément de choses dont j'aimerais te parler mais, malheureusement, nous n'avons pas le droit de parler de ce que nous voyons ni de ce que nous entendons… Je suis désolé de ne pas avoir pu t'appeler avant notre départ, mais celui-ci a eu lieu de manière inattendue et très rapide. » En mettant sa nouvelle adresse dans l'enveloppe, il ajouta : « J'espère que tu ne t'attends pas à avoir de mes nouvelles très régulièrement. »

Le texte de la lettre était écrit dans la forme de l'Afrique.

22 janvier 1944
Débarquement allié à Anzio

SA DEUXIÈME LETTRE indiquait qu'il se trouvait à un endroit différent de celui où il avait écrit la lettre précédente. Il avait l'air de vivre des expériences nouvelles. Était-ce la Sicile, ou Naples pour un entraînement spécial, ou Anzio pour le combat ? C'était même peut-être en Corse.

Peu après son arrivée à Alger, le major Cox s'était rendu en Corse. Les GO italiens avaient aidé les forces françaises à libérer la Corse, qui servait depuis de base d'opérations à ces dernières. Certains des officiers venus en janvier l'avaient accompagné. Ils allaient même parfois en mission, en tant qu'observateurs, avec certains des GO italiens.

Environ une semaine plus tard, Paul écrivit qu'il revenait d'une « petite affaire dont on ne parlera pas pour le moment ».

Le major Cox rentra à Alger vers la mi-février.

En février et en mars, Paul était également parti plusieurs fois. Il se peut qu'il ait participé à la campagne pour la libération de l'Italie, qui battait son plein à l'époque, et donnait du mal aux Alliés. Il se peut aussi qu'il ait participé à des actions en France ; sa famille est en effet persuadé qu'il a pu y être déposé par sous-marin avec des commandos français. Toutefois, cette hypothèse n'est pas confirmée.

Pendant cette période, Paul n'était rattaché à aucune équipe de GO. Il s'occupait de l'entraînement en général, et travaillait comme adjoint pour le groupe français.

D'après les archives officielles : « L'OSS, par l'intermédiaire de sa section Opérations spéciales d'Afrique du Nord, avait passé un accord avec le quartier général de l'armée française à Alger. Cet accord permettait initialement à l'OSS de disposer d'un nombre limité d'officiers et de soldats français. En contrepartie, les OS augmentèrent leur capacité pour assurer un entraînement paramilitaire et parachutiste à l'armée française. » La plupart des hommes des OS ne parlaient pas, couramment en tout cas, le français, et n'auraient aucunement pu se faire passer pour des Français en France, même avec des faux papiers.

Il est probable que Paul fit la connaissance de Paul Barrière à l'occasion d'une des nombreuses visites qu'il effectua pour le compte de l'OSS au QG de la France libre à Alger. Paul Barrière était né à Espéraza (Aude) en 1920, où sa famille possédait une usine de chapeaux. C'est à l'université, à Toulouse, que Barrière découvrit le rugby. Il fut un grand joueur français. Après que le gouvernement de Vichy ait interdit la pratique du rugby à XIII en 1940, Paul Barrière s'était réfugié à Alger, où il rejoignit la France libre. Il y était responsable du BCRA, le Bureau central d'information et d'action. Il était également chef des opérations destinées à parachuter du matériel allié aux groupes du maquis, et il a participé aux actions du maquis de Picaussel.

On pense que Paul Swank fut parachuté plusieurs fois en France avec Paul Barrière pour y aider le maquis de Picaussel. Il avait obtenu son brevet parachutiste le 25 mars 1944. On sait qu'il s'était déguisé en curé pour se déplacer dans la région. Il connaissait en effet suffisamment les traditions et les services catholiques, bien qu'il fût méthodiste. Paul avait réussi à revenir à Alger en passant par Andorre et l'Espagne.

Alger était une ville très belle et très française. Chaque fois qu'ils en avaient l'occasion, Paul, avec des amis, allait en ville. Il y avait un petit café où ils aimaient beaucoup manger. La salle était juste assez grande pour une vingtaine de personnes.

Dans une lettre à sa mère, il écrivait :

> « J'ai dîné dans un petit restaurant français, très pittoresque, tenu par une vieille espagnole. Les soldats américains l'appellent "ma chère momma". Elle prépare tout ce que nous lui apportons. Cette fois, nous lui avions apporté trois poulets. Il y en avait un qui était très vieux et, en le voyant, elle a dit : "Ah, il y a le frère d'Henri IV"… Tu te rappelles de tes cours d'histoire ? Celui qui avait déclaré que chaque laboureur de son royaume devait pouvoir mettre une poule au pot chaque dimanche. Elle a beaucoup

> d'esprit, et ça fait du bien de lui parler. Elle m'a appris plus de français que ce que j'ai appris en six ans d'études. »

Paul glissait de nombreuses allusions dans ses lettres à sa famille. Dans une lettre datée du 19 mars, il laissait entendre avoir survolé ou s'être rendu dans des régions d'Italie contrôlées par les Alliés – des régions qu'il avait visitées avec sa mère, avant-guerre.

> « ... Eh bien, Capri n'a pas trop changé. » À la fin de la même lettre, il demandait une boîte de cigares, car il venait de renoncer à la cigarette « ... Il peut arriver que j'aie besoin de courir trop loin et trop vite. » Dans une lettre qu'il m'écrivait le 26 mars, il me demandait de dire à sa mère
> « ... que j'étais parti quelques jours, c'est pourquoi elle n'a pas eu de mes nouvelles... mais il a fallu que je fasse un petit voyage ; maintenant, je suis rentré, et vraiment content de pouvoir écrire à quelqu'un, car nous avons eu un petit problème, cette fois-ci... dis à ton père que j'ai eu l'occasion d'assister à une éruption l'autre jour... la fumée montait à au moins 15 km d'altitude et il y avait une sacré épaisseur de lave. »

Il se trouve qu'une éruption du Vésuve, le volcan qui a enterré Pompéi en 79, avait commencé le 18 mars 1944 ; elle s'était terminée le 29 du même mois. Était-ce un accident que tout cela se retrouve dans une lettre de Paul ?

CHAPITRE 7

Arrivée des GO français

Mars / avril 1944

De Gaulle prend le commandement de tous les Français libres.

LES JEUNES VOLONTAIRES des compagnies A, B et C de l'OSS, ainsi que les officiers qui les avaient entraînés, étaient partis de la grande base navale de Newport News, sur la côte est de la Virginie, le 26 mars 1944. Cinq jours plus tard, leur bateau arrivait à Casablanca.

De là, ils prirent le train pour traverses les montagnes de l'Atlas. Ce n'était pas un voyage de luxe en couchettes : quarante hommes par wagon à bestiaux, dont le plancher était couvert de paille pour donner un peu de confort.

À leur arrivée à Alger, ils furent transportés par camion à la zone X de l'OSS. La centaine d'hommes affectés au commandant Cox fut répartie en différentes sections, dont l'une était commandée par le capitaine Pons et le lieutenant Grahl Weeks. Ce groupe était constitué de sous-officiers, dont la majorité était originaire du nord-est des États-Unis, près du Canada ou du pays Cajun, en Louisiane.

Dans cette section, trois hommes étaient originaires d'Europe – Peter Weyer était belge, Jean Kohn était parisien et Bill Strauss, né en Allemagne, avait vécu en France.

Ces hommes avaient été sous les ordres du lieutenant Weeks et du capitaine Pons depuis le début, au Country Club du Congrès. Le lieutenant Weeks avait l'âge d'un lieutenant. Le capitaine Pons était plus âgé, la quarantaine sans doute. Tous ces jeunes de 19 ou 20 ans parlaient de lui en l'appelant « le vieux ».

L'entraînement commença le lendemain.

La première surprise de ces hommes fut d'apprendre qu'ils allaient apprendre à sauter en parachute. Pour quelques-uns d'entre eux, l'idée de sauter d'un avion, qui ne leur était jamais venue à l'esprit, était assez déconcertante. L'idée les intéressa davantage en apprenant que leur solde serait augmentée s'ils obtenaient leur brevet de parachutiste.

L'entraînement commença par l'apprentissage du roulé-boulé. Le plus important était de toujours atterrir avec les pieds et les genoux bien serrés. En plus, ils portaient des chaussures montantes afin de protéger les pieds et les chevilles. Ils s'entraînaient à sauter, à partir de plateformes de différentes hauteurs, dans des bacs de sable ou de gravier. À la fin de la première semaine, ils sautaient d'une tour de 10 m de haut, l'équivalant d'un saut réel.

Une fois l'atterrissage maîtrisé, l'étape suivante consistait à apprendre le fonctionnement du harnais et du parachute. Ils enfilaient un harnais et étaient hissés en haut d'une tour de 75 m, pour ressentir, au moyen d'une chute simulée, les sensations causées par un saut réel. Le dispositif reproduisait le choc à l'ouverture et le déploiement du parachute, ses oscillations et, de manière rudimentaire, la méthode d'orientation du parachute au moyen des élévateurs. Au sol, équipés d'un parachute ouvert devant un grand ventilateur, ils s'entraînaient aux atterrissages par grand vent. Ils apprenaient à faire face au vent en manipulant les suspentes. Le harnais était muni d'un dispositif de libération rapide, au cas où il serait nécessaire d'en sortir rapidement.

Ils s'entraînèrent de la sorte pendant deux ou trois semaines. Les hommes embarquèrent ensuite dans les avions desquels ils sauteraient pour de bon. Ce qui faisait le plus peur était d'être assis au bord du trou, les pieds dehors, et de regarder le sol, tout en bas.

Quand le largueur criait « Go », ils se jetaient dehors, les pieds d'abord. La première fois, il y en eut sans doute quelques-uns qui le firent en fermant les yeux. La chose à ne pas faire, c'est de sauter la tête la première. En faisant cela, on risque de se cogner la tête de l'autre côté du trou. Il y avait une grosse différence entre un saut d'entraînement et un saut de mission. L'entraînement se passait en plein jour, alors qu'en mission ils sauteraient par une nuit sans lune. Une erreur pouvait causer une blessure, voire la mort. L'entraînement se termina avec l'épreuve finale. C'était bien d'être breveté. Non seulement leur solde allait augmenter de cinquante dollars, mais ils pouvaient maintenant rentrer le bas du pantalon dans les rangers.

Maintenant, ils étaient de vrais paras.

L'entraînement ne s'arrêta pas pour autant. La plus grande partie de celui-ci eut lieu dans les monts de l'Atlas. Il leur arriva par exemple d'être déposés par camion dans un endroit désert, à charge pour eux de se débrouiller. Munis seulement de demi-rations, il leur fallait se débrouiller pour tout le reste. Ils avaient interdiction d'acheter du ravitaillement. Tout ce qu'ils étaient autorisés à faire était de demander dans des fermes ce dont ils avaient besoin ou même, en cas de refus, de le voler la nuit,. En général, il leur fallait repérer des sources de ravitaillement pendant la journée, avant d'y retourner de nuit. Ils pêchaient beaucoup, mais pas de la manière habituelle. En effet, une grenade permet d'attraper plusieurs poissons d'un coup.

Au cours de la première quinzaine de juillet, le capitaine Pons disparut. Personne n'avait la moindre idée de ce qui lui était arrivé, ni n'arriva à le savoir. Pendant les quinze jours suivants, les hommes furent seuls avec le lieutenant Weeks, puis le lieutenant Paul A. Swank arriva. C'était la première fois qu'ils le voyaient.

Les deux ou trois semaines suivantes allaient être consacrées à un entraînement particulièrement intensif, en particulier en matière d'explosifs. Kohn déclara, plus tard, *« Aucun d'entre nous ne connaissait le lieutenant Swank. Nous ne savions ni qui il était, ni d'où il venait. Nous ne le connaissions pas, mais nous l'avons aimé tout de suite. En fait, nous l'aimions beaucoup. Quand il donnait un ordre, nous nous contentions d'obéir, sans poser de question. L'ordre était toujours logique. Nous avions un très grand respect pour lui, en particulier pour ses connaissances et son passé militaire. Il était silencieux et réservé, ne disait pas grand-chose, et ne se lançait pas dans de longues conversations. Nous ne savions pas comment le gérer ! Nous n'arrivions simplement pas à le comprendre ! »*

« À côté de ça, » disait Kohn, *« les hommes avaient vécu avec le lieutenant Weeks pendant longtemps. Ils le connaissaient bien. Nous connaissions ses faiblesses comme ses bons côtés. Il ne posait pas de problème, et il était juste. »*

Les membres de la confrérie de Paul, à l'Université du Texas, disent de Paul à peu près la même chose dans leur bulletin : *« Peu de questions sur l'activité de la section étaient réglées sans que son avis sur le sujet n'ait été pris en compte, et pourtant il n'a jamais favorisé une opinion plutôt qu'une autre ; il était simplement et naturellement consulté, et il avait plus souvent raison que tort. Il faisait preuve d'une maturité indiscutable en matière de jugement et d'assurance dans l'action. »*

Dans une de ses nombreuses lettres à sa mère, Paul avait dit en parlant des simples soldats,

> « Les simples soldats de notre armée, il y en a qui ne

sont pas très intelligents, il y en a qui sont faibles, il y en a qui sont d'une grande vulgarité, mais ils sont l'espoir et le salut de notre pays. J'ai vécu des moments où j'ai pensé que l'heure était proche, mais c'est grâce à eux que nous nous en sommes sortis. Quand on a vécu ce qu'ils ont vécu ou ce qu'ils vont affronter, on a pas mal de tolérance. Si on agit en conséquence et qu'ils savent qu'on est sérieux, c'est une autre histoire. »

Avant de rejoindre la section qui allait devenir l'« Opération Peg », on avait dit à Paul que, bien qu'ils soient tous les deux lieutenant, il était le supérieur de Weeks et que c'était lui qui commanderait. Paul était d'un avis différent. Il pensait en effet qu'il serait préférable que Weeks garde le commandement. Weeks connaissait mieux les hommes parce qu'il était avec eux depuis longtemps ; il les comprenait, ainsi que leurs réactions.

Mais c'était Paul le patron. Un des avantages : c'était à lui de nommer la mission.

C'est ainsi que l'« Opération Peg » a été nommée en honneur de Peggy Snyder.

Mai 1944
Quelque part en Sicile

AVEC LA SICILE désormais occupée par les Alliés, Paul était très certainement, une fois de plus, en entraînement. Il avait participé à la campagne vers le nord de l'Italie en avril car, à son arrivée en Sicile, il écrivait à sa mère :

« Nous sommes tous en bon état maintenant, après trois semaines plutôt difficiles. Je pense que tu as remarqué que mon écriture tremble un peu, je crois que c'est dû à la peur. Je suppose que certains d'entre nous tremblent après coup, en pensant bêtement à ce qui aurait pu nous arriver. Je vais bien, juste un peu fatigué. »

À la mi-mai, il était de retour à Alger. Dans une lettre à sa grand-mère, la dernière phrase disait

« … dit à l'oncle John que je donnerais n'importe quoi pour lui parler». Il ajoutait un P.S. : « Dit à oncle John que je suis allé là où je lui avais dit que j'allais, et pas seulement une fois, mais quatre, et qu'une de ces fois nous allons certainement y rester un bon moment. En plus, j'ai maintenant 16 sauts en parachute. »

Avec d'autres qui avaient participé à la campagne d'Italie, ils avaient passé plusieurs semaines en Sicile. En plus du repos, ils avaient effectué un peu d'entraînement supplémentaire au saut en parachute, ce qui pourrait expliquer une partie des 16 sauts, mais pas tous. Le certificat avait été émis par le centre d'entraînement parachutiste de la cinquième armée ; il était daté du 5 mai 1944. Le centre d'entraînement était maintenant en Sicile. Cela s'est vérifié par des lettres envoyées plus tard à la mère de Paul par plusieurs de ses amis, qui disaient combien ils s'étaient amusés en Sicile.

À la fin mai, il écrivit,

> « Je suis absolument furieux. J'ai été nommé responsable du planning et de l'entraînement. Ça ne me plaît pas, parce que je ne vais plus voir beaucoup de combats. Ils m'ont vraiment bloqué. C'est censé être un meilleur poste que celui que j'avais, et il n'y a pas de doute que c'est 1000 % plus sûr, mais quand même… »

CHAPITRE 8

Le maquis de Salvezines

Juin 1942

APRÈS L'ENTRÉE DES ALLEMANDS dans Paris le 14 juin 1940, la France avait été divisés en deux : zone occupée et zone libre. Les Allemands occupaient la moitié nord de la France, et le gouvernement collaborationniste du maréchal Pétain gouvernait la zone libre. Celle-ci couvrait le centre et le sud de la France, et en particulier la côte méditerranéenne. Les vichystes, comme on les appelait après que Pétain ait transféré le gouvernement à Vichy, faisaient tout leur possible pour coexister avec les Allemands. Les syndicats avaient été interdits. Les chantiers de jeunesse avaient été mis en place. Des listes de communistes (dont le parti avait été interdit), de socialistes et autres indésirables avaient été établies. Vichy n'était qu'une autre forme de fascisme. Vichy disposait d'une organisation paramilitaire, la Milice, qui servait d'auxiliaire aux SS et à la Gestapo. La Milice arrêtait les résistants, déportait les Juifs, prenait des otages et recrutait des travailleurs pour les envoyer en Allemagne.

À l'été 1942, le gouvernement de Vichy avait mis en place un système, appelé STO (Service du travail obligatoire), destiné à recruter de la main d'œuvre pour aller travailler en Allemagne. Les jeunes gens d'âge adulte étaient obligés de partir pour le STO. Les réfugiés espagnols avaient également été internés dans ces camps de travail. Il n'avait pas fallu longtemps pour que tout le monde comprenne qu'aller travailler dans les usines en Allemagne n'était pas un phénomène temporaire, mais bien de l'esclavage, et qu'ils ne rentreraient jamais. Quand l'occasion s'en présentait, les jeunes gens devenaient réfractaires au STO. Si quelques-uns arrivaient à passer en Espagne, la plupart rejoignaient des groupes de résistance. Ces groupes étaient appelés maquis, d'après le nom de la végétation impénétrable qui couvre la Corse.

Novembre 1942
Les Allemands occupent la zone libre.

LES MAQUIS COMMENÇAIENT GÉNÉRALEMENT avec cinq ou six hommes, voire une dizaine, qui se cachaient pour échapper à la Milice et aux Allemands. Quelques maquisards, comme Lazare et Chevallier, avaient combattu dans l'armée française. Lazare avait réussi à passer en en Angleterre en 1940, grâce à l'évacuation de Dunkerque. Il y rencontra un ami qui travaillait au bureau de renseignement français. Il était rentré en France en 1942 pour travailler pour le Bureau de renseignement. En novembre 1943, il fut capturé et, blessé, fut envoyé à l'hôpital d'où le personnel l'avait aidé à s'échapper. Ne s'arrêtant nulle part, il avait contribué à la création de plusieurs groupes de maquis dans le nord et le centre du pays.

Le Bureau l'avait rappelé. Cette fois, il avait été envoyé dans le sud de la France. Il s'était fait embaucher dans une scierie où il avait rencontré Victor Meyer, connu sous le pseudonyme de Jean-Louis. Jean-Louis était le chef local des Francs-Tireurs et Partisans Français (FTPF). Lazare avait créé Jean Robert & Faïta, qui allait être connu sous le nom de maquis de Salvezines, dont il était devenu le chef. Après avoir été attaqués, ils s'étaient réfugiés à Salvezines et avaient pris le nom de Jean Robert, en l'honneur d'un militant communiste exécuté en avril 1943.

À vingt ans, Jean Millner (Caplan) avait fui Paris, où il était obligé de porter l'étoile jaune des juifs. Arrivé à Limoux, au sud de Carcassonne, il avait été aidé par Louis Cesari, membre de Faïta, un petit groupe de partisans, qui avait été créé à la fin de l'été 1943. Le camp de ce maquis se trouvait dans une zone située au nord-est de Chalabre, qui est au sud-ouest de Limoux. Caplan l'avait rejoint en mai 1944. En juillet, un petit groupe de maquisards de Gaja-la-Selve, au nord-ouest de Limoux, y avait été incorporé.

Après avoir été attaqués par la Milice, ils étaient partis à Lairière, à une trentaine de kilomètres au sud-est de Limoux. Un matin à l'aube, le camp avait été attaqué par les Allemands. L'attaque s'était mal passée, et leurs chefs avaient été tués. Le fait qu'un de leurs propres compatriotes, un milicien, ait conduit les Allemands chez eux était difficile à comprendre pour ces adolescents. Ces jeunes n'avaient jamais été entraînés au combat ; ils ne savaient pas vraiment quoi faire. Ils essayaient seulement d'éviter d'être envoyés en chantier de jeunesse. Ils avaient besoin d'un chef, Caplan avait pris le poste. Il avait emmené ce petit groupe dans la région des Salvezines, où ils avaient rejoint le groupe Jean Robert dans la forêt de Resclause.

Marti, l'un de ces jeunes, était terrifié à l'idée d'être arrêté par la Milice ; il était originaire de Narbonne. En 1941, il avait été emprisonné comme communiste. Libéré en 1942, il avait été envoyé à Quillan, où il avait été embauché dans une boulangerie. C'était son ami Marta qui lui avait appris l'existence du maquis de Salvezines, dont il faisait partie. Devenu maquisard, il se sentait à l'abri de la Milice, et cela lui permettait en plus d'aider la France, qu'il aimait tant.

En juillet 1943, Jonquille avait été envoyé dans un chantier de jeunesse du Cantal. Il y avait appris le métier de cordonnier. C'était là qu'il avait fait la connaissance de Sampson, un garagiste qui réparait les camions du maquis. Après une fausse attaque qui avait permis de voler des camions, Sampson avait entendu dire qu'il était soupçonné et qu'il allait être envoyé en Allemagne. Avec Jonquille, comprenant qu'ils risquaient de se retrouver dans le prochain train pour l'Allemagne, ils se portèrent volontaires pour aller chercher du cuir. Munis de leurs ordres de mission, d'argent et d'un laisser-passer, ils désertèrent et partirent dans l'Aude, où ils rejoignirent le maquis en même temps que Marti.

Prosper, lui, venait de Perpignan. Il était étudiant en pharmacie. Son beau-frère, qui était gendarme, lui avait conseillé de rejoindre le maquis, parce que c'était le meilleur moyen d'éviter d'être pris par la Milice. Prosper était parti avec son neveu, Moïse. En allant vers les Pyrénées, à pied, ils avaient rencontré d'autres jeunes qui essayaient aussi d'échapper à la Milice. Au bout de plusieurs jours de marche, et après quelques sueurs froides, ils avaient rejoint le maquis Jean Robert.

Danton, lui, avait passé trois ans dans l'armée de l'air en Syrie. Après être rentré en France métropolitaine, c'était un jeune homme changé, qui avait peur d'être envoyé en Allemagne. Suivant les recommandations d'un cousin, il s'était engagé dans la Gendarmerie. Il avait été nommé à Nîmes. Il y avait été arrêté par les Allemands pour possession de tracts. À sa libération, il avait été envoyé garder une savonnerie, où des armes étaient entreposées. Après y avoir volé deux pistolets, il s'était enfui pour échapper à la Gestapo. Il était finalement arrivé à Salvezines, où il avait rencontré un autre mécanicien. Celui-ci avait une moto, une Royal Enfield, qu'il n'arrivait pas à faire marcher. Il l'avait donnée à Danton, qui y était arrivé. C'est là qu'il rencontra l'instituteur, Ribéro, qui le mit en contact avec le maquis Jean Robert.

Après avoir intégré plusieurs petits groupes de résistants, celui-ci était devenu le maquis de Salvezines. Ce groupe se composait maintenant d'une cinquantaine d'hommes. Le plus vieux – ils l'appelaient Papa – avait trente-six ans. Il y avait des chrétiens, des juifs, des communistes, des socialistes, des Français, des Espagnols, sans compter les autres. Quelques-uns se contentaient de détester Vichy, mais ils avaient tous quelque chose en commun : l'amour de la France.

CHAPITRE 9

Les maquisards espagnols

Été 1939

Quelque part, au nord de Barcelone

RAMON, UN BLOND AUX YEUX bleus âgé de 14 ans, était le frère de Pedro, qui venait d'avoir 16 ans. Avec ses cheveux bruns et ses yeux noirs, Pedro était le contraire de Ramon. Il ressemblait à son père, non seulement physiquement, mais dans son comportement. Ramon faisait penser tout le monde à sa mère qui, prise dans une fusillade, avait été tuée en faisant son marché deux ans auparavant. En donnant un coup de pied dans un caillou du chemin sur lequel ils marchaient, il se tourna vers son frère et demanda : « Pourquoi est-ce qu'il a fallu partir de chez nous ? Est-ce qu'on ne peut pas aller travailler à la briqueterie où Papa travaillait et rester à la maison ? »

Pedro, qui pensant que Ramon était simplement trop jeune pour comprendre et qu'il devait s'occuper de lui, répondit « Papa m'avait dit que, s'il lui arrivait quelque chose, il faudrait que nous emportions quelques vêtements et à manger. Il m'avait montré un chemin caché pour traverser la montagne pour aller en France. »

« Je suis sûr que Papa va revenir ! » déclara Ramon, sa voix changeant d'octave. « C'est juste avant-hier qu'il n'est pas rentré ! Peut-être qu'il est allé chez Tia Raquel ? Tu sais bien que c'est possible. »

« Ramon, il faut que tu comprennes ! Ce jour-là, il y a eu un gros combat à côté de la tuilerie. Si Papa avait été tué, nous l'aurions su. S'il s'est fait prendre comme anti-franquiste, nous ne le saurons jamais. Je me contente de faire ce que Papa m'a dit de faire. J'ai trouvé le peu d'argent qui était caché au cas où. De toute manière, si Papa est encore en vie, il sait où nous allons, et il nous retrouvera. Je sais que le chemin va être long et difficile, mais nous sommes forts, et nous y arriverons. Il faut juste faire attention, en particulier aux militaires, et aux personnes qui pourraient essayer de nous voler. Maintenant, ce qu'il faut faire, c'est chercher un bon emplacement où nous cacher pour passer la nuit. Elle ne va pas tarder à tomber. »

Les deux garçons, bien maigres, étaient partis de chez eux avant l'aube ce matin-là, pour que personne ne les voie partir. Ils avaient mis dans un panier trois des poules du jardin. Ils pourraient toujours les tuer et les faire cuire s'ils avaient faim. Abandonner la chèvre avait été difficile, mais elle se débrouillerait toute seule. Il l'avaient traite, et avaient mis son lait dans un bidon, pour pouvoir le boire avec le pain et le fromage qu'ils emportaient. Chacun d'entre eux avait emballé quelques vêtements dans une couverture qu'il portait sur le dos. Ils auraient besoin des couvertures pour les nuits dans la montagne.

Le trajet leur avait pris plusieurs jours, le long des chemins par lesquels Hannibal avait conduit ses éléphants en Italie. Par moments, de la montagne, ils pouvaient apercevoir la Méditerranée. De nombreux autres Espagnols allaient dans le même sens qu'eux. Ramon et Pedro essayaient de les éviter, car il n'y avait aucun moyen de savoir si c'était des amis ou des ennemis. De nombreuses autres personnes allaient vers l'Espagne, pour échapper à l'agression nazie dans le reste de l'Europe.

Après leur arrivée en France, quelques personnes avaient été gentilles avec eux, et leur avaient donné à boire et à manger. D'autres, en revanche, avaient fait semblant de ne pas les voir. Ils avaient essayé de contourner la plupart des villages, pour éviter les soldats et les gendarmes.

Un jour, à un tournant de la route, ils étaient tombés sur des soldats français. Il était trop tard pour leur échapper. Ne comprenant pas ce que les soldats disaient, ils n'avaient rien dit. Ils avaient été emmenés au quartier général, où il y avait quelqu'un qui parlait espagnol. Là, on leur avait dit qu'ils allaient être mis dans un grand camp, près de la Méditerranée, où ils auraient à manger, à boire et des vêtements.

Quelle n'allait pas être leur surprise !

La seule chose vraie dans ce qu'on leur avait dit était que le camp d'internement était près de la mer. Il était entouré de barbelés. Il n'y avait pas de vêtements pour eux, et pas grand-chose à manger. Ils avaient eu de la chance d'être affectés à une tente, dans laquelle ils partageaient un lit de camp. Un grand nombre de réfugiés dormaient à même le sol, sans même un abri contre les intempéries. Afin de conserver le peu qu'ils avaient, un seul des garçons à la fois sortait de la tente. Après plusieurs mois dans le camp, ils avaient entendu une annonce. Comme elle était en français, ils ne l'avaient pas comprise. Pedro réveilla son frère en disant « Ramon, lève-toi ! Il faut savoir ce qu'ils ont dit. »

Un costaud, plus âgé qu'eux, qui occupait le lit d'à côté, avait toujours été gentil avec eux. Carlos, comme il s'appelait, s'occupait d'eux et les protégeait un peu. En plus, il comprenait le français. Il expliqua aux garçons que, s'ils connaissaient un métier, ils pourraient quitter le camp et trouver un contrat de travail. Lui, il allait s'engager dans la Légion étrangère. Eux ne pouvaient pas : ils n'avaient pas l'âge.

« Carlos, est-ce qu'il y a des tuileries dans le coin ? », demanda Pedro.

« Je ne sais pas, mais j'ai entendu dire qu'il y en a une dans les parages de la ville de Limoux. C'est sur la route de Carcassonne, pas très loin de Quillan. Vous ne devriez pas mettre plus de deux ou trois jours pour y arriver. » ajouta-t-il.

« Je pourrai peut-être trouver du travail comme mitron. Avant la mort de ma mère, je l'aidais à faire le pain. »

L'homme leur dit : « Vous pourrez peut-être faire étape à Quillan, en allant à Limoux. Je suis sûr qu'il y aura une boulangerie là-bas. »

Les garçons enfilèrent les meilleurs vêtements qui leur restaient, et quittèrent la tente. Au portail du camp, les sentinelles leur demandèrent leurs papiers. Pedro, répondant pour eux deux, dit « Nous avons du travail à la boulangerie de Quillan ! Il faut que nous allions chercher nos papiers ! »

Après que le garde leur ait ouvert le portail, ils se dépêchèrent de sortir. Une fois hors de vue, ils pénétrèrent dans les bois, au cas où la sentinelle changerait d'avis.

Ils avaient beaucoup appris pendant le peu de temps passé au camp.

Il leur avait fallu presque deux jours pour arriver à Quillan, où il n'y avait malheureusement pas de travail pour eux. « Pourquoi est-ce qu'ils nous regardent comme ça ? Nous n'allons rien leur voler. », dit Ramon à son frère.

« Tu oublies que nous sommes des étrangers, ici. Je suis sûr qu'ils savent que nous venons d'un camp. Ils ont peur de nous faire confiance. Laisse tomber, Ramon. Rappelle-toi que Carlos nous avait dit avoir entendu parler d'une tuilerie à Limoux. Il va sans doute nous falloir au moins une journée pour y arriver, parce qu'il est tard. De toute manière, nous serons encore plus loin des camps, et on fera moins attention à nous. Il me reste un peu d'argent, nous pourrons acheter à manger dans le prochain village. En suivant le chemin qui longe l'Aude, nous pourrons rester à l'écart des grandes routes. Il va directement à Limoux, personne ne fera sans doute attention à nous. »

À Couiza, ils purent acheter du fromage et du pain, et remplir d'eau leurs gourdes. Il était bien connu que les Espagnols fuyant les événements de leurs pays y étaient bien accueillis. Ils n'y restèrent pas pour la nuit, mais continuèrent vers Limoux. Il faisait presque nuit quand ils arrivèrent à une ferme située en dehors de la ville. À Couiza, on leur avait dit qu'ils pourraient peut-être y trouver de l'aide. En effet, on leur donna à manger, et on les laissa passer la nuit dans la grange. Le lendemain matin, on leur expliqua comment aller à la tuilerie, et on leur donna le nom de quelqu'un qui pourrait les aider. Ils n'avaient pas eu de problème à se faire embaucher. Comme ils avaient tous les deux travaillé avec leur père à Barcelone, ils savaient quoi faire dans une tuilerie.

11 novembre 1942
L'Allemagne envahit la zone libre

TOUT ALLAIT BIEN pour les garçons. Ils apprenaient le français, et le comprenaient suffisamment pour savoir ce qui se passait. Ils savait que les Allemands étaient entrés en zone libre mais, pour le moment, n'en avaient vu aucun. Ils s'efforçaient de rester à l'écart des groupes autant que possible, parce qu'ils avaient entendu dire que le nouveau gouvernement de Vichy créait des chantiers de jeunesse, et personne ne savait quand on viendrait le chercher, pour les remettre aux Allemands, qui avaient besoin d'ouvriers dans leurs usines. C'était facile, pour le nouveau gouvernement, de prendre des réfugiés espagnols, parce que personne ne remarquerait leur absence. Une chose était sûre, les deux garçons ne voulaient pas retourner dans un camp. Ils avaient aussi entendu parler de plasticages d'usines, parmi d'autres actions de sabotages contre les envahisseurs.

Automne 1943

UN JOUR, ALORS que les feuilles étaient en train de jaunir et qu'un vent d'ouest froid soufflait, Pedro dit à Ramon, en rentrant de l'usine « J'ai eu de mauvaises nouvelles juste avant de débaucher. Henri, qui travaille avec moi, m'a dit qu'il paraît que l'armée allemande s'est installée dans la vieille ville de Carcassonne. Ils y ont tout réquisitionné, et s'en servent comme quartier général. Je suis très inquiet. Je connais les Allemands. Tu ne te rappelles peut-être pas, mais il y avait aussi des Allemands qui se battaient contre papa et ses amis. Il va falloir penser à rentrer en Espagne. Je crois que les combats y sont finis. Qu'est-ce que tu en penses ? »

« Je ne sais pas, Pedro. Nous gagnons bien notre vie ici. Nous savons comment, et quand, nous cacher. Attendons voir. »

« D'accord, mais pas trop longtemps. Nous allons devoir faire très attention, toi et moi. »

Janvier 1944

PEDRO ET RAMON, seuls, déjeunaient à côté de la rivière. Ils virent quelqu'un s'approcher. Alors qu'ils étaient prêts à s'enfuir, Pedro dit « Attends, je le connais. C'est Antonio. »

L'homme, de petite taille, aux cheveux sombres, qui descendait de la colline, portait une gamelle. « Pedro, est-ce que je peux m'asseoir avec vous ? »

« Bienvenue, Antonio ! »

« Il faut que je vous parle de quelque chose. », déclara Antonio en s'asseyant à côté d'eux et en ouvrant sa gamelle. « Est-ce que vous avez entendu parler du maquis ? Ce sont des gens qui vivent dans les bois, pas loin d'ici, et qui se battent contre les Allemands. Qu'est-ce que vous diriez de les rejoindre ? »

« Nous avons entendu parler du maquis, mais nous ne savons pas où il est. Nous détestons les Allemands. Ce sont peut-être eux qui ont tué notre père. Est-ce que tu sais où sont les maquisards ? »

« Oui. Ils ont un camp près de Quillan. C'est à l'ouest d'ici, près de Puivert, dans la montagne, dans la forêt de Picaussel. Est-ce que vous seriez d'accord pour venir avec moi ? »

« Certainement ! Nous avions pensé à repartit en Espagne pour être à l'abri des Allemands, mais nous préférons rester ici et nous battre contre eux. »

« Je vais partir samedi, de manière à ce que mon absence ne soit pas remarquée avant que je ne sois pas à l'embauche. De toute manière, tout le monde pensera que c'est la Milice qui m'a pris et que j'ai été envoyé en Allemagne. D'ailleurs, on pensera la même chose pour vous. »

Antonio leur dit: « Allez au sud de la ville, sur la route de Magrie. Il n'y a pas beaucoup de monde qui la prend. On peut aller à Espéraza.

Je connais quelqu'un qui nous conduira au maquis. Je vous retrouve au lever du soleil. »

Ce fut une nuit sans sommeil.

Pedro et Ramon attendaient quand Antonio est arrivé. En se mettant en route, Antonio déclara : « Nous passerons la nuit à Couiza. Les habitants ont été très serviables avec les Espagnols. Ils nous donneront à manger et un endroit pour dormir. Il ne nous faudra pas longtemps pour arriver à Espéraza demain, et il me faudra peut-être un certain temps avant de pouvoir trouver la personne dont j'ai besoin. »

Ils arrivèrent à Espéraza en milieu de matinée ; en quelques heures, Antonio put trouver la personne qu'il cherchait. L'ami d'Antonio déclara pouvoir les emmener au maquis le lendemain. Ils leur faudrait partir très tôt car il devrait rentrer à temps pour être au travail, dans l'usine de chapeaux.

Alors qu'ils étaient dans la voiture pour aller à Puivert, l'ami d'Antonio (les garçons ne voulaient pas connaître son nom) leur dit que le groupe de résistants s'était créé au début de l'année, quand des armes avaient été larguées accidentellement près de Lescale, un petit village à quelques kilomètres au sud de Puivert. Les armes avaient alors été cachées.

L'instituteur du village, Lucien Maury, était devenu le chef de ce qui s'appellerait plus tard le maquis de Picaussel, leur camp se trouvant dans la forêt de Picaussel.

12 avril 1944
Lescale

DEUX AMÉRICAINS FURENT parachutés non loin de Belvis, qui est de l'autre côté de la montagne par rapport à Lescale. La Gestapo, prévenue du parachutage, se mit à leur recherche le 14 avril. Les deux hommes réussirent à s'enfuir et à passer en Espagne par Andorre.

6 août 1944

LE MAQUIS DE PICAUSSEL s'attendait à un autre parachutage très tôt le 7 août 1944, mais il fut attaqué le 6 août par un fort détachement de la 11e division blindée allemande, stationnée à Toulouse. Les maquisards, soit désormais trois cent cinquante hommes, avaient réussi à s'échapper. Partis vers le sud-est, ils installèrent un nouveau camp près de Quérigut, ce qui leur permettrait de continuer le combat.

CHAPITRE 10

Premier jour avec le maquis

11 août 1944

Les États-Unis libèrent l'île de Guam

CE N'EST QUE TARD DANS l'après-midi que les hommes d'« Opération Peg », après l'erreur de largage qui les avait fait rejoindre un maquis différent de celui qui était prévu, arrivèrent enfin au campement. Celui-ci était situé dans une sapinière au-dessus du village de Salvezines. L'air y était frais. Le trajet avait pris du temps. Une suite de montées et de descentes. La traversée de plusieurs petits villages. Les voitures ayant amené au camp les invités inattendus repartirent vers Plan Prunier, pour récupérer les maquisards restés là-haut.

Ce n'est que plus tard qu'ils se rendirent compte de la difficulté de leur terrain d'atterrissage, dont les pentes couvertes d'une forêt de pins dense parsemée çà et là de rochers semblaient comme faites exprès pour accrocher un parachutiste. Le seul côté positif, en dehors de la beauté à couper le souffle de l'endroit, était que la forêt les rendrait très difficile à trouver par les Allemands.

Sortant de la voiture, Veilleux jeta un coup d'œil à la foule qui s'approchait d'eux. Sans être impressionné, il dit à Frickey : « Qu'est-ce que c'est que ça ? Ça n'est qu'un tas de gamins ; on se croirait chez les scouts ! Ils n'ont pas l'air d'avoir plus de quinze ans. »

« Comme tu dis ! Comme campement, ça n'est pas extraordinaire non plus. Ça a l'air de n'être rien d'autre qu'une vieille ferme. Je me demande ce qu'ils élèvent, à cette altitude. Elle pourrait peut-être produire du lait, mais je ne vois pas de vaches. Qu'est-ce que tu en penses ? » demanda Frickey.

« Je n'ai pas vu de moutons ni de chèvres, et ça n'est pas ici qu'ils peuvent faire pousser du riz comme chez moi. », dit-il. « Qu'est-ce que c'est que cette grange bleue ? Je croyais que toutes les granges étaient censées être rouges, comme chez nous.[24] »

« Dis-donc, Veilleux ! », ajouta Frickey. « Est-ce que tu as vu le camion dans lequel nous avions mis tous les conteneurs ? Il avait une sorte de cheminée sur le côté, et ils y mettaient du bois. Il ne risquait pas d'aller très vite. Je croyais que nous arriverions jamais ! »

Le camion dont ils parlaient était équipé d'un étrange dispositif cylindrique soudé sur le côté de la carrosserie, avec lequel il avait démarré. Ça ressemblait à un moteur à vapeur et, comme pour les machines à vapeur, il fallait alimenter continuellement le feu avec du bois ou du charbon. Ça ne permettait pas la vitesse d'un moteur à essence, ce qui faisait que le camion se traînait dans les descentes.

Ils avaient fini par arriver au campement du maquis, à la ferme Nicoleau. À l'arrivée des derniers hommes, les lieutenants Weeks et Swank se tenaient au milieu de la clairière, où ils étaient en train de discuter avec les chefs du maquis. Strauss et Kohn étaient avec eux, faisant office d'interprètes. Alors que les chefs de maquis s'éloignaient, le lieutenant Weeks appela : « Tous les GI[25] , par ici ! Nous avons besoin de vous faire un résumé de la situation ! »

Aux hommes se rassemblant autour de lui, le lieutenant Swank déclara : « Comme vous le savez tous, nous avons déposé Armentor et Arnone à l'hôpital de Salvezines. On nous a assuré qu'ils seraient bien soignés et qu'ils y seraient en sécurité. Salvezines est bien protégé par ces maquisards.

« Je pense que tout le monde est au courant que ce groupe n'est pas celui qui était prévu. Avec le lieutenant Weeks, nous allons essayer d'entrer en contact avec l'autre maquis. En attendant, trouvez-vous tous quelque chose à manger, et rangez votre barda. Ensuite, il faudra décharger les conteneurs. Nous allons les mettre dans cette grange bleue, en attendant de voir ce qui se passe avec ces deux maquis différents. Demain, nous ouvrirons les conteneurs pour vérifier leur contenu.

« Une dernière chose ! Bachand n'est pas arrivé à contacter Alger. La radio et les cristaux étaient pourtant en bon état quand nous

---

24 Note du traducteur : Aux États-Unis, en effet, les bâtiments de ferme sont traditionnellement peints en rouge assez foncé.

25 Note du traducteur : « GI » était le surnom des soldats américains pendant la seconde guerre mondiale.

avons atterri. Nous ne savons pas quel est le problème, mais nous allons essayer de le régler. Nous avons beaucoup de choses à faire ; installez-vous aussi vite que possible. »

Tandis qu'ils s'éloignaient pour rassembler leur matériel, des murmures se firent entendre parmi les hommes. « Je crois bien que Bachand avait autant la frousse que nous tous. »

« Tu crois qu'il peut s'être trompé de message ? »

« Tu sais, s'il a envoyé par erreur le signal de danger à la base, ils vont nous laisser tomber, c'est sûr. »

« Si c'est ça qui s'est passé, à tous les coups Alger va penser que nous avons tous été pris par les nazis et que nous avons tous été tués. »

« Ouais ! Officiellement, nous allons être portés disparus ! »

« Merde ! On va nous prendre pour des bleus, et ça m'énerve sérieusement ! »

« Je pense que le largueur s'est trompé, et que c'est à cause de ça que nous n'avons atterri à l'endroit prévu. Dis-donc ! Ces rochers, c'était vraiment quelque chose ! »

« J'ai glissé sur des graviers, et je suis tombé sur le cul ! »

Les lieutenants Weeks et Swank ramassèrent leurs cartes et allèrent parler avec Jean-Louis, Caplan et Lazare, les chefs du groupe. Leur mission était de harceler les forces allemandes, en coupant la D117 et en détruisant les lignes de communication et les voies de ravitaillement dans la trouée de Carcassonne. Ils devaient retarder la 11e division de Panzer, qui était cantonnée à Toulouse, et l'unité de la Luftwaffe de Carcassonne, pour les empêcher partir, que ce soit vers le nord ou vers l'est.

Ils voulaient faire, dès le lendemain, une reconnaissance de la plus grande partie possible de la région. S'ils pouvaient le jour-même avoir une idée générale du terrain, cela leur ferait gagner du temps. Le reste de l'équipe, aidé des résistants, était occupé à décharger les conteneurs. En plus des dix conteneurs avec lesquels ils avaient été parachutés, il y avait ceux qui avaient été largués par l'avion qui les avait précédés à Plan Prunier.

Le soleil commençait à descendre derrière la montagne lorsque Marti, l'un des résistants, se dirigea vers Kohn. Sachant qu'il était français et qu'il le comprendrait, il dit : « Il est temps d'arrêter. Rouvier, notre cuisinier, qui a 60 ans, est en train de préparer le dîner. Vous et vos camarades, vous allez bien manger avec nous, j'espère ?

« Ce sera avec plaisir », répondit Kohn. « Qu'est-ce qu'on mange ce soir ? »

« Ce soir, on fait des pâtes. On fait toujours des pâtes. On mange des pâtes depuis toujours ! Vous n'allez pas tarder à entendrez notre chanson des pâtes, qui s'intitule « Les pâtes à la Rouvier, nous en avons marre de les manger. ».

En riant, Kohn se retourna et se cogna dans Strauss, qui se plia en deux l'effet de ce petit choc. « Qu'est-ce qui t'arrive, Strauss ? Est-ce que tu es blessé ? », demanda Kohn.

« Je crois bien que je me suis fêlé quelques côtes à l'atterrissage. Au début, ça ne me faisait pas trop mal, mais maintenant si. »

« Tu ferais bien d'aller voir Guion. Je suis sûr qu'il va pouvoir faire quelque chose pour toi.

Allons le chercher. »

En se dirigeant vers le reste du groupe, à la recherche de l'infirmier, Kohn dit : « Ce Français, Marti, avec qui je discutais, nous proposait de manger avec eux ce soir. Ils font des pâtes, ce qui nous changera des rations. Ça fait des semaines qu'ils en mangent !. Il m'a dit qu'ils avaient fait une descente dans un dépôt de ravitaillement plein de pâtes, il y a plusieurs semaines. Au début, ça leur avait beaucoup plu. Je suppose qu'ils en ont marre, maintenant. Il me parlait d'une chanson qu'ils avaient écrite à propos du cuistot. De toute évidence, on ne cultive pas grand-chose dans ces montagnes.

« Ils sont obligés de voler la plus grande partie de leur ravitaillement, là où ils peuvent en trouver. Il n'y a plus de marché dans les villes et les nazis raflent l'essentiel de la production. Quand il peut, le boulanger de Lapradelle met du pain derrière le café, et deux gars vont le chercher. Ils sont obligés d'y aller à pied. Ça doit leur prendre des heures ! Je ne sais pas pour toi mais, moi, j'ai une faim de loup. »

Au fur et à mesure que le soleil descendait derrière la montagne, la température dégringolait rapidement. L'odeur des pins était forte pendant que les hommes se frayaient un chemin à travers le lit d'aiguilles. « Avec toutes ces aiguilles de pin autour de nous, il n'y a pas de risque de nous faire surprendre la nuit. Les lieutenants ont raison de nous dire de dormir dehors dans les bois, plutôt que dans la maison ou dans la grange », déclara J.P., qui venait de les rejoindre.

Les Américains, qui étaient arrivés de très mauvaise humeur faute de pouvoir contacter Alger, commençaient enfin à se détendre. Ils essayèrent même de chanter avec les autres après avoir fait le plein de pâtes et de vin. Deux des maquisards, Lulu et Bonnet, avaient de belles voix. Les feux s'éteignant, les Américains s'enfoncèrent dans les bois pour se mettre dans leurs sacs de couchage. Les maquisards, eux, rentrèrent dans la maison et dans la grange.

Ç'avait été une bonne journée, après tout.

CHAPITRE 11

Deuxième jour avec le maquis

12 août 1944

LE JOUR COMMENÇAIT à poindre à l'est derrière les pics lorsque le groupe commença à bouger au campement de la ferme Nicoleau. Les odeurs de café et du pin se mêlaient dans l'air lorsque le lieutenant Weeks dit: « C'est l'heure de déjeuner ! Rouvier a quelque chose de spécial pour vous tous ce matin ! Allez-y ! Nous avons beaucoup à faire aujourd'hui et peu de temps pour le faire. »

« Mon lieutenant ! C'est des pâtes ! »

« Eh bien, avez-vous déjà mangé des pâtes pour le petit-déjeuner ? Le lieutenant Swank attend tout le monde dans la grange à 7 heures, alors arrêtez de râler et mangez. »

Les hommes trouvèrent le lieutenant Swank qui les attendait. « Silence, tout le monde ! Avant que les maquisards n'arrivent, j'ai des choses à vous dire. Premièrement, est-ce que l'un d'entre vous a remarqué si les dix conteneurs que nous avons apportés portent des repères différents des autres ? Est-ce que quelqu'un a remarqué des marques sur l'un d'entre eux ? Personne ? Si nous ne pouvons pas voir de différence entre eux, il va falloir que je regarde dedans un par un, et j'aimerais que ce soit fini avant l'arrivée des autres. Il faut séparer ceux que nous avons apportés. »

« Mon lieutenant, pour moi ils se ressemblent tous », déclarèrent-ils tous en chœur.

« Je crois que tout ira plus vite si tout le monde en ouvre un et, après que je les ai vérifiés, nous pourrons séparer ceux que nous avons apportés, au fur et à mesure que nous les trouvons. »

Il ne leur fallut pas longtemps pour trouver ceux qu'ils cherchaient. En plus des armes apportées, ils contenaient des objets personnels (trousses de toilette, cigarettes et rations).

En vidant les autres conteneurs, ils en sortirent des grenades, des carabines, des poignards, un bazooka avec vingt coups, et même des fusils britanniques Enfield qui dataient de la guerre de 14-18. Qui donc aurait pu penser qu'on pourrait encore en avoir besoin ? Il y avait aussi toutes sortes de matériels de démolition : crayons à retardement, ruban adhésif, pinces à sertir, de quoi réaliser des dispositifs piégés, détonateurs avec ou sans retard, cordeau détonant et, bien sûr, des explosifs. Il fallait en tout cas nettoyer les armes, et vérifier tout le matériel. On entendit « On dirait que nous n'aurons pas besoin de tout ça ! », au moment où les piles, les cristaux et autres pièces détachées de radio étaient extraits des conteneurs.

Les maquisards furent en tout cas surpris et enthousiastes en voyant ce que les Américains avaient apporté. En effet, ce maquis ne disposait en général que d'armes et de munitions saisies après un accrochage avec la Milice ou les Allemands. De temps en temps, cependant, ils leur arrivait de détourner un largage de munitions destiné à un autre maquis, comme la veille. Le maquis des Salvezines était dirigé par des chefs qui étaient sympathisants communistes, même si les hommes ne l'étaient pas tous. Toute politique à part, ils aimaient leur pays et voulaient se battre contre les Allemands. Toutefois, les Alliés qui effectuaient ces largages de munitions étaient influencés par les Français libres, basés à Londres. Ils avaient peur de qui disposerait de ces armes après la guerre.

Les Américains étaient en train d'apprendre aux maquisards comment nettoyer leurs armes quand le lieutenant Weeks déclara : « Le lieutenant Swank et moi, nous vous avons réparti en deux escouades. Arnone pourra peut-être nous rejoindre dans un jour ou deux. Le lieutenant Swank, notre expert en démolition, sera responsable de tous nos projets. Mon escouade s'occupera de la défense et de la couverture de notre mission. Galley, Kohn, Frickey et Veilleux, vous assisterez le lieutenant Swank. Sampson, Strauss, White et Weyer seront avec moi. À son retour, Arnone sera également avec moi. Des questions ? Continuez ce que vous étiez en train de faire ! Quand toutes ces armes seront en état de fonctionnement, il faudra commencer à apprendre à ces gars comment s'en servir. »

En sortant de la grange, Swank et Weeks remarquèrent l'arrivée d'hommes qu'ils n'avaient pas encore vus. Swank dit : « Va donc voir si tu trouves Jean-Louis. J'ai comme l'impression que ce sont des gars de l'autre maquis, et qu'ils sont à la recherche de nous et de leurs munitions. Je vais chercher Kohn et Strauss. Je sais que nous aurons besoin de leur aide. »

Il rentra dans la grange et appela : « Kohn ! Strauss ! Plus vite que ça ! Nous avons besoin de vous ! »

Pendant qu'ils s'approchaient du groupe, Jean-Louis était engagé dans une discussion tendue avec un des nouveaux arrivants. Kohn, à côté du lieutenant Swank, commença à traduire « Le type qui parle à Jean-Louis est en train de dire que les munitions étaient pour eux, et il veut les récupérer. »

Le nouvel arrivant se retourna, et s'arrêta de parler en voyant Weeks et Swank. En souriant, il attrapa le bras de Swank et se mit à le secouer avec vivacité. Est-ce que par hasard il le connaissait déjà ? Il s'appelait Marc Lajou, mais se faisait appeler Bayard. Dans le maquis, tout le monde avait un nom de guerre. En cas de capture, leurs familles courait moins de risques de représailles si leurs identités étaient cachées. C'était lui qui commandait l'Armée secrète, un groupe FFI, dans le secteur de Quillan. Il était très ami avec le commandant du maquis de Picaussel, Lucien Maury (Franck).

Le maquis de Picaussel avait commencé presque par accident. En mars 1943, 4 jeunes étaient tombés sur des armes qui avaient été parachutées par erreur sur Lescale. Une grotte située à proximité leur avait servi de premier endroit de réunion. Elle était, aussi, proche du village de Puivert et d'un pâturage bien adapté à des parachutages. Quelques hommes y avaient été parachutés le 23 avril 1944. Est-ce que Paul Swank aurait pu faire partie de ceux-ci ? Le lieutenant Swank avait-il été envoyé comme conseiller militaire pour aider les FFI à s'organiser dans la région ? La Gestapo avait eu vent de ce parachutage et s'était mise à leur recherche, mais les Américains avaient réussi à lui échapper. Ils avaient réussi, à pied, à passer d'Andorre en Espagne et, de là, à rentrer à Alger. Se peut-il même qu'ils soient revenus plusieurs fois par la suite ? C'est possible, en effet.

C'était à Puivert que le groupe Peg aurait dû atterrir le 6 août. Mais un fort détachement de la 11e division de Panzers, en garnison près de Toulouse, avait attaqué le maquis ce soir-là. Après un combat prolongé, le maquis de Picaussel avait réussi à se faufiler au travers des lignes allemandes avec ses provisions et ses blessés. Ils s'étaient réfugiés à Quérigut, dans l'Ariège, à une quinzaine de kilomètres au sud d'Aunat. En collaboration avec un autre groupe de Français libres, l'Armée Secrète (AS) d'Aunat, une zone à proximité d'Aunat allait servir à leurs parachutages.

On pense que c'est là que, la nuit du 11 août, ils attendaient les parachutistes de Peg, ainsi qu'un largage de munitions. Aunat, un petit hameau de moins de 100 habitants, est à l'ouest d'une crête. Le Clat est un hameau encore plus petit, à l'est de la même crête, juste un peu plus proche de celle-ci. Aunat était contrôlé par les FFI.

Les avions venant d'Alger arrivaient toujours du sud-est, ce qui mettait Le Clat et Aunat sous la trajectoire allant à la forêt de Picaussel. On croit que seules des munitions devaient être parachutées au Clat. Elles étaient destinées au maquis de Picaussel,

Sur la feuille de papier qu'il avait donnée à Bachand, le radio, le lieutenant Weeks avait écrit : « Nous avons atterri à douze "miles[26]" au sud-est de la réception préparée. »

Cela n'avait rien d'inhabituel. Pour ces vols, le navigateur et le bombardier de l'avion étaient chargés de conduire celui-ci à l'endroit désiré. Lors du briefing, ils recevaient, avec le pilote, la latitude et la longitude de la zone de parachutage, ainsi que le point où ils devaient atteindre la côte française.

Les avions n'étaient pas équipés d'un radar. Ils ne disposaient que d'une estimation de la pression atmosphérique pour la zone de parachutage, ce qui rendait peu fiable l'altitude affichée par l'altimètre. Les références visuelles étaient vitales. Le navigateur et le bombardier étudiaient alors une carte de la zone de largage pour trouver un point au sol facile à identifier vu de l'avion. Ce pouvait être un confluent de rivières, un tournant d'une rivière, un croisement de voie ferrée, ou quelque chose de similaire.

Ce « point remarquable » devait se trouver entre 25 et 40 kilomètres de la zone de parachutage. Le bombardier, situé dans le nez de l'avion, devait alors le repérer en pleine nuit. En arrivant au « point remarquable », le pilote faisait alors descendre l'avion aussi bas que possible, tout en se dirigeant au compas vers la zone de parachutage. Il pouvait arriver que le point désiré soit impossible à atteindre, surtout si c'était un groupe différent qui donnait le signal au sol.

Après quelques formules de politesse, Bayard se retourna vers Jean-Louis et la dispute reprit. « Kohn ! », dit le lieutenant Swank, « Je ne comprends peut-être pas tout, mais il me semble bien que chaque groupe pense que les munitions sont à lui. Est-ce que tu comprends la même chose ? »

« Oui, mon lieutenant ! Les cocos disent qu'elles leur ont été larguées à eux, et Bayard dit que c'est pour eux qu'elles étaient prévues. »

« Ils parlent trop vite pour mon français. Je veux être sûr qu'ils savent exactement ce que je vais dire ! Dis leur ceci : Nous combattons tous le même ennemi ! Les Allemands ! Quand la guerre

---

26 Note du traducteur : une vingtaine de km

sera finie, ils pourront décider qui récupérera les munitions ! C'est bien compris ? »

Au son de la voix du lieutenant Swank, toutes les conversations s'arrêtèrent. À l'exception de la voix de Kohn traduisant à tous ce que Swank venant de dire, le silence était total. « Maintenant, dis-leur ceci, Kohn. Je sais que nous avons été envoyés ici pour aider le maquis de Franck, mais dans le peu de temps que j'ai été ici, il m'a semblé que c'est le maquis de Salvezines qui a le plus besoin de notre aide. Nous allons rester ici avec eux. Nous resterons en contact avec le groupe de Franck et j'espère que nous pourrons nous mettre à travailler ensemble. »

Le lieutenant Swank emmena Jean-Louis et Bayard à l'écart, et ils s'arrangèrent sur le partage des munitions. On pense que c'est le maquis de Salvezines qui en eut la plus grande partie.

Il se peut qu'une partie de la confusion sur la propriété des armes ait été causée par la remise du message. Une radio se trouvait dans une ferme près de Fanjeaux, une ville située à une trentaine de kilomètres à l'ouest de Carcassonne, au nord-ouest de Limoux. Il est possible que les deux maquis aient été prévenus par cette radio. Soi-disant, André Lajou, le fils de Bayard (FFI) aurait remis le message à Ribéro (FTP), qui aurait prévenu le maquis de Salvezines. Personne n'est sûr de rien.

Il n'y avait pas de gagnants dans une querelle entre maquis. Le conflit à propos des armes étant réglé, il était temps de passer à d'autres choses. Leurs cartes à la main, les lieutenants Weeks et Swank, accompagnés des sergents Sampson et Galley et de quelques-uns des chefs du maquis, partirent à la recherche d'endroits où les explosifs feraient le plus de dégâts.

L'après-midi se passa à entraîner les maquisards, en particulier au tir avec les fusils modèles 1903, les mitrailleuses et les autres armes. Les maquisards furent surpris par la cadence de tir et le recul des armes, ce qui amena des rires chez les Américains. Fredo était tout content d'avoir appris à démonter un pistolet-mitrailleur Browning les yeux fermés.

Ce fut à l'heure de dîner que Jonquille et Marta arrivèrent de Lapradelle avec deux gros sacs à dos remplis de pain. Ils étaient partis du campement avant le lever du soleil pour descendre de la montagne, un trajet long et difficile. Le retour, avec les sacs à dos pleins, avait été encore plus difficile.

Ce soir, il y aurait du pain avec les pâtes. Et une surprise pour les Allemands.

CHAPITRE 12

Troisième jour avec le maquis

13 août 1944

À L'ANNONCE QUE LES GO avaient proposé un changement pour le petit-déjeuner, une acclamation s'éleva de tous ceux présents au campement de la ferme Nicoleau. Tout le monde pourrait avoir des rations au lieu de pâtes.

Pendant le dîner, on ne parlait que du pont de chemin de fer qui avait été détruit la nuit précédente. Le lieutenant Swank et son groupe, accompagnés de quelques maquisards, étaient partis après dîner. Le pont en question traversait la D117 juste à l'est de St. Martin-Lys, sur la route reliant Carcassonne à Rivesaltes. Il n'avait pas été complètement détruit mais n'était pas réparable. Il faudrait le démolir et le reconstruire. Cette voie ferrée avait été utilisée constamment par les trains de ravitaillement allemands.

Pendant qu'ils étaient à table, Kohn se tourna vers Lazare et lui demanda : « Est-ce que vous avez beaucoup de problèmes avec les collaborateurs ? » Il raconta ce que Marti lui avait dit la veille en allant au pont.

« L'autre soir, Lazare, Danton, Caplan, Louis et Marti étaient à la recherche d'un type à Rennes-les-Bains quand ils sont tombés sur un barrage allemand avant Couiza. Un soldat s'est approché de la voiture et Marti a dû lui tirer dessus. L'Allemand est tombé sur la portière. Marti n'arrivait pas à l'ouvrir. Les Allemands ont commencé à tirer. Caplan et Louis se sont mis à tirer. Finalement, Marti a réussi à se débarrasser du soldat et à ouvrir la porte pour que Lazare et lui puissent sortir.

« Il était content, parce qu'il était sûr que vous alliez tous être tués ou pris. Il avait fallu abandonner les voitures. Il a dit qu'il leur avait fallu toute la nuit pour revenir à pied par la montagne, et que vous n'étiez pas arrivés à Lapradelle avant le lever du jour. On dirait que vous avez eu de la chance de vous en tirer. Est-ce que ce genre de chose arrive souvent ? »

« Oui, nous avons eu beaucoup de chance de nous en sortir », répondit Lazare. « Nous sommes toujours à la recherche du traître. Il se peut que quelques hommes aillent à Quillan cet après-midi pour voir s'ils peuvent trouver le type que nous recherchons. Il y a été vu dans un café. Plusieurs de nos gars se sont fait prendre à cause de lui. »

Quillan est plus grand que Salvezines. Autrefois, c'était une localité très importante située sur la route, ancienne et sinueuse, qui relie Carcassonne à Perpignan. Par l'Aude, du bois et autres produits y étaient expédiés vers le Canal du Midi, tout proche. Maintenant, c'est juste le carrefour entre la D117, la route Bordeaux-Narbonne, et la D118, qui relie Carcassonne à l'Espagne en passant par Andorre De nombreuses personnes étaient passées par là pour échapper aux Allemands.

« Il y aura une fête là-bas après-demain », annonça Lazare. « S'il n'y a pas d'Allemands, on pourra aller s'y amuser. »

Tout le monde était impatient de reprendre l'entraînement. Ils avaient beaucoup à apprendre, non seulement sur toutes les armes, mais aussi sur la manière de travailler en équipe. Le Lieutenant Swank voulait s'assurer qu'ils savaient manipuler des explosifs en sécurité.

Ils avaient fait sauter les lignes à haute tension alimentant les usines de St. Georges et de Gesse, ainsi que celles passant par Col Campérié. Ce dont ils étaient le plus contents, c'était d'avoir fait dérailler un train à la sortie de Quillan, juste avant La Forge. À quelques-uns, ils étaient allés au dépôt de Quillan, où Yves avait coupé les lignes téléphoniques. Gaby avait accompagné le conducteur de la loco pour amener le train dans un tunnel ; la locomotive avait heurté des voitures, ce qui avait provoqué un déraillement qui avait bloqué non seulement les voies mais aussi la route. Ça s'était passé une semaine avant l'arrivée des Américains et la ligne de chemin de fer était toujours interrompue.

« Nous avons souvent eu beaucoup de chance », dit Jonquille. « Une fois, j'ai failli faire sauter un camion rempli de maquisards parce que je croyais que c'était des Allemands. »

Plus tard, dans l'après-midi, Marta avait appris que le collaborateur qu'ils recherchaient était dans un café de Quillan. Marti, Danton et lui partirent à Quillan pour le capturer. Sachant qu'il était armé, ils mirent au point un plan pour le prendre par surprise. Danton se déguiserait en gendarme pour ne pas l'alerter. Une fois sur place, ils virent une fille qui connaissait le milicien, qu'ils appelaient « A », et lui demandèrent de se rendre au café Terminus en face de la gare, où il se trouvait, et de l'occuper. Marti entra dans la salle par la porte d'entrée, alors que Marta passait par derrière. En voyant les maquisards, « A » essaya de sortir un pistolet de sa ceinture, mais celui-ci se prit dans son pantalon. Heureusement pour eux, car les trois hommes purent le capturer sans que personne ne soit blessé. Ils le ramenèrent à la ferme Nicoleau, où il allait être jugé dès le lendemain.

Le même soir, après le souper, le lieutenant Swank et son peloton repartirent pour faire sauter d'autres ponts. Cette nuit-là, ils allaient à l'est de Lapradelle par la D117, alors qu'ils étaient allés de l'autre côté la nuit précédente. L'équipe Peg était dans une voiture et Lazare, Marta, Prosper, Moïse et Marti dans une autre. Les deux voitures étaient sur la route de Saint-Paul de Fenouillet quand les maquisards virent une voiture s'approcher et crurent que c'était des Allemands. Ils se rangèrent sur le bas-côté. Mais alors que Marta sortait de la voiture, son arme tomba de sa ceinture et lui tira une balle dans la tête, et il mourut sur le coup. Il n'y avait absolument rien eu à faire. Ses camarades le mirent dans la voiture et continuèrent leur mission.

Cette nuit-là, ils firent sauter des ponts en pierre à l'est de Saint-Paul de Fenouillet, ainsi qu'entre St. Paul et Caudiès. Ils avaient auparavant détruit plusieurs pylônes de lignes à haute tension, ainsi qu'un autre pont sur la Boulzane. Ces actions avaient complètement coupé la D117.

Désormais, la route de Perpignan était coupée pour les Allemands.

Le retour au campement fut triste pour les maquisards. En temps normal, ils auraient été plus que satisfaits de la destruction des ponts et des pylônes.

Ils n'avaient en effet jamais fait autant de dégâts en une seule nuit. La cerise sur le gâteau était que Marti avait abattu un milicien, qu'il avait reconnu à Saint-Paul-de-Fenouillet au moment où il partait prévenir les Allemands.

La mort de Marta était dure pour ses camarades, d'autant plus qu'elle avait été causée par un accident bête. Ces hommes étaient avec Marta depuis longtemps et le voir mourir sous leurs yeux était trop pour eux. À leur retour au campement, alors qu'ils retiraient son corps de la voiture, le lieutenant Swank donna l'ordre de présenter les armes en l'honneur de Marta. Les maquisards en furent très touchés.

La nuit avait été émotionnelle.

CHAPTER 13

Quatrième jour avec le maquis

14 août 1944

Début de retraite des troupes allemandes, alors que les alliés poursuivent la reconquête de l'Europe

LES MAQUISARDS PASSÈRENT la plus grande partie de la matinée à établir des communications téléphoniques le long de la D117. Ce n'était pas trop difficile car beaucoup de leurs familles y vivaient dans les villes et les villages. Ils informaient toutes les demi-heures les Américains à Salvezines de toutes les activités allemandes. Cela rendit beaucoup plus sûre l'utilisation des moyens de transport disponibles dans la région. La rumeur de la présence d'Américains dans la région circulait maintenant. Celle-ci, associée au fait que les Allemands et la Milice cherchaient encore plus d'hommes jeunes à envoyer en Allemagne, avaient porté à plus de deux cents le nombre de ceux-ci qui se trouvaient au campement. Les Américains s'inquiétaient de la possibilité d'infiltrations dans le groupe, mais les chefs des maquisards semblaient avoir un don pour les repérer.

L'entraînement à l'emploi des fusils, des armes automatiques, des explosifs et des autres armes se poursuivit avec les résistants les plus âgés. Il n'y avait pas assez d'armes pour entraîner les nouveaux, dont la plupart était affectée à la surveillance de ponts et de grandes artères, et d'autres à des travaux dans le campement.

Après le déjeuner, alors que les GO étaient prêts à reprendre l'entraînement, Frickey s'écria « Bon sang ! Regarde-moi ce mec ! », en attrapant le bras de Kohn.

« Que quelqu'un aille chercher les lieutenants ! » dit Kohn.

Galley, essayant de ne pas avoir l'air inquiet, se leva d'un bond et se dirigea vers l'endroit où les deux hommes étaient assis, comme s'il allait se resservir à manger. En voyant ce qui avait l'air de les préoccuper, il fit un signe de tête au lieutenant Weeks et dit à Lazare : « Nous ferions mieux de voir si nous pouvons régler ce problème avant de reprendre l'entraînement. À tout à l'heure. »

Les GO étaient choqués et troublés. Ils ne pouvaient pas croire ce qu'ils voyaient !

Le milicien « A », celui qui avait été capturé la veille, avait été traîné à l'extérieur de la grange. Sa figure était si enflée qu'on pouvait à peine reconnaître un visage. Il avait été passé à tabac copieusement. À leur arrivée, les lieutenants trouvèrent les hommes tranquillement assis, serrés les uns contre les autres ; ils se parlaient, ne sachant quoi faire. Le lieutenant Swank leur dit doucement : « Les gars, c'est l'une des choses à propos desquelles nous avons été avertis. Rappelez-vous nos ordres. NOUS N'INTERVENONS PAS DANS LES AFFAIRES LOCALES ! »

White regarda le lieutenant Swank et dit : « Mon lieutenant, ils ont dit qu'ils allaient le juger. Ce type est à moitié mort ! Comment est-ce qu'ils vont pouvoir le juger ? »

« N'oubliez pas que nous ne sommes pas aux États-Unis ! Vous ne réalisez pas non plus exactement à quels tourments et à quel traitement ces gens ont été soumis. Dans certains cas, comme celui-ci en particulier, ce sont leurs propres concitoyens qui les font souffrir. Nous n'avons pas vu ce qu'ils ont souffert, à part le manque de nourriture. N'oubliez pas que ces gars ont tellement peur pour leurs familles qu'ils n'utilisent leurs vrais noms avec personne, pas même leurs meilleurs amis ! Ils va y avoir un procès mais, très probablement, ce ne sera pas ce que vous considérez comme un procès. Rappelez-vous une seule chose ! FERMEZ-LA ! »

Le procès fut bref.

« A » fut ensuite amené contre un arbre, et un peloton d'exécution fut formé. Tout était fini. Aussi vite que ça. Les GO ne s'éprouvèrent aucune peine pour le milicien. Ce que la Milice avait fait subir à la population et aux villages, dans cette région comme dans d'autres, était bien connu.

Ce fut seulement tellement rapide.

Cette nuit-là, le lieutenant Swank repartit encore avec son groupe et quelques maquisards.

Ils firent sauter un pont sur l'Aude, juste à côté de St. Martin-Lys. Sur le chemin du retour, ils plastiquèrent aussi plusieurs pylônes de lignes à haute tension, ainsi que des lignes téléphoniques à Col Campérié, où ils eurent un bref accrochage contre quelques Allemands.

Une autre bonne nuit.

CHAPITRE 14

Cinquième jour avec le maquis

15 août 1944

Débarquement allié en Provence

MAINTENANT QUE LES AMÉRICAINS l'avaient rejoint, le maquis de Salvezines grossissait de jour en jour. Lorsque les GO étaient arrivés, il y a quelques jours à peine, ce n'était qu'un petit groupe. Il y avait maintenant environ deux cents hommes dans le campement, et il n'y avait pas assez d'armes pour tant de monde.

Les lieutenants Weeks et Swank étaient inquiets pour leurs hommes. Depuis le procès et l'exécution de la veille, ils étaient très calmes, presque trop. Ses cartes à la main, Paul se dirigea vers Weeks et lui dit : « Grahl, il va falloir occuper les hommes, sans quoi ils ne seront bons à rien. J'ai regardé nos cartes. J'ai pensé que nous pourrions leur demander d'aller faire un tour avec quelques-uns des résistants pour renforcer les défenses autour de Salvezines. Tu pourrais leur montrer comment miner les routes et installer des dispositifs pièges. Qu'est-ce que tu en penses ? »

« Ça m'a l'air d'être exactement la chose à faire. Je vais les rassembler. »

« Garde à vous, les GO ! Une petite réunion ! »

Avec les hommes autour de lui, le lieutenant Weeks annonça : « Nous avons discuté, le lieutenant Swank et moi. Il nous semble qu'il faut occuper ces maquisards. Il y en a trop, et il faut les garder sous notre contrôle. Il n'y a pas assez à faire ici, ni de matériel, pour les occuper. Les sergents Sampson et Galley seront responsables. Prenez les camions, emmenez-les et montrez-leur comment miner des routes et fabriquer des dispositifs pièges. Tant que vous y êtes, mettez donc aussi quelques mitrailleuses à des emplacements stratégiques autour de Salvezines. »

Les hommes revinrent aux alentours de midi. Ça avait marché ! Ils avaient tous l'air d'être de bonne humeur, riant des erreurs commises par les nouveaux. Les lieutenants étaient encore en grande conversation. Qu'est-ce qu'ils pouvaient bien préparer, maintenant ? Le lieutenant Swank se dirigea vers l'endroit où les hommes mangeaient et demanda : « Est-ce qu'il y en a parmi vous qui veulent aller à une fête ?

« Où est-ce qu'on va trouver une fête en pleine guerre ? »

« Il y en a une aujourd'hui à Quillan ! Après le déjeuner, nous irons y faire un tour, voir ce qui se passe. On a tous besoin d'une pause ! »

Après avoir eu confirmation qu'il n'y avait pas d'ennemis dans les parages, ils ne perdirent pas de temps à partir. À l'entrée des camions dans Quillan, les hommes commencèrent à chanter « Alouette, gentille alouette ». De nombreux habitants étaient sortis pour l'occasion, et Quillan était très animé. C'était la première occasion, pour les Américains, de voir Quillan en plein jour. Les habitants étaient tous excités, ayant entendu dire qu'il y avait des Américains dans la région, même s'ils étaient très peu à les avoir vus. Quelques photos furent prises ; des filles flirtaient. C'était un grand événement pour tout le monde.

En descendant du camion, le lieutenant Swank dit au lieutenant Weeks : « Grahl, je crois que j'ai vu quelqu'un que je connais du côté du café. Est-ce que tu vois Lazare quelque part ? Regarde si tu peux le trouver, lui, Caplan ou Jean-Louis, tous les trois serait le mieux, et retrouvez-moi au café. Je vais vois s'il sait si Franck est en ville. Il faut savoir ce qui se passe et planifier nos prochains mouvements. Peut-être que nous pourrons faire travailler les deux groupes ensemble.

« Je crois que je sais où ils sont. À tout de suite. »

La réunion fut productive ; c'est sans doute la raison principale pour laquelle le lieutenant Swank avait voulu aller à la fête de Quilllan. Comme quelques jours plus tôt à propos des munitions, les deux maquis enterrèrent leurs différends et acceptèrent de travailler ensemble.

De retour à la ferme Nicoleau, les hommes discutaient avec enthousiasme du débarquement allié sur la Côte d'Azur. Ils furent surpris de s'apercevoir qu'il y avait maintenant neuf prisonniers allemands au campement. Pendant leur absence, un groupe de maquisards avait capturé les Allemands dans une savonnerie, à

St Paul, et les avait emmenés au campement pour y être interrogés par les Américains. Weeks et Swank se précipitèrent vers la grange pour savoir quelles informations ils pourraient obtenir. Après le fiasco du Milicien, ils avaient demandé aux chefs de maquis de ne faire de mal à aucun prisonnier avant son interrogatoire. Ils obtinrent quelques renseignements intéressants sur les mouvements de troupes provoqués par le débarquement en Provence. Malheureusement, ils ne purent pas transmettre à Alger les renseignements ainsi recueillis, leur radio ne fonctionnant toujours pas.

CHAPITRE 15

Sixième jour avec le maquis

16 août 1944

Percée des Alliés à St Lô

C'ÉTAIT UN MATIN CLAIR dans la forêt de Resclause. Le groupe avait été occupé par l'entraînement et les missions des jours précédents. Les maquisards de Salvezines semblaient apprendre rapidement et piaffaient d'impatience pour utiliser ce qu'ils avaient appris. Si seulement il y avait eu davantage d'hommes dans le groupe de GO, tout aurait été beaucoup plus rapide. Les FTP de Salvezines et le maquis FFI semblaient avoir résolu une partie de leurs différences à Quillan, ce qui était bon signe. En ce qui concernait les troupes allemandes, qui étaient maintenant en mouvement, il restait encore beaucoup à faire.

Les lieutenants Weeks et Swank allèrent voir Lazare et Jean-Louis pour savoir ce qu'ils avaient comme nouvelles. Il avait été décidé qu'eux quatre retourneraient à Quillan pour essayer d'y rencontrer des membres du maquis de Picaussel. Le lieutenant Swank avait été surpris de voir son ami, Paul Barrière, la veille. Peut-être que celui-ci pourrait prendre contact avec Alger pour le groupe Peg. Il y avait aussi un autre ami, Raymond Barres.

Le voyage à Quillan en avait valu la peine. La 11e division blindée des nazis essayait de faire route vers l'est. Tous les dommages, apparemment mineurs, causés par les GO à des petits ponts semblaient bien utiles, maintenant. Les chars allemands n'arrivaient pas à trouver de chemin direct pour aller là où il y avait besoin d'eux.

L'armée allemande s'était emparé d'un immense entrepôt de ravitaillement de l'armée française, à Couiza. La rumeur voulait que celui-ci contienne suffisamment de ravitaillement pour nourrir un million de personnes pendant dix jours. Le bruit courait que les Allemands allaient essayer de le déménager. Les maquisards cherchaient avec impatience à connaître la date de cette opération. Est-ce que la division allemande qui avait installé son quartier général dans la cité fortifiée de Carcassonne se préparait à partir ? Si elle partait, irait-elle vers l'est ou vers le nord ? Quelque chose se préparait, c'était certain. Toutes choses que les Américains avaient besoin de savoir, et rapidement.

Le maquis de Picaussel avait des contacts à Carcassonne. En attendant, ils allaient positionner des gens à des emplacements stratégiques le long de la D118, entre Carcassonne et Couiza. L'important était de faire tout le possible pour que ce ravitaillement puisse profiter aux habitants de la région.

En effet, les marchés avaient été supprimés dans tous les villages environnants, depuis que les Allemands avaient envahi la zone libre. Les nazis allaient dans les marchés et confisquaient toute la nourriture. Les gens survivaient grâce à ce qu'ils pouvaient élever ou faire pousser dans leurs petits jardins. Quand ils avaient du surplus, celui-ci s'échangeait entre voisins, à la nuit tombée. Les poules et les canards étaient gardés très près des maisons pour pouvoir y être rentrés en cas d'arrivée des Allemands.

Si les maquis arrivaient à prendre le contrôle du dépôt, cela priverait les Allemands du ravitaillement dont ils auraient besoin pour leur retraite vers le nord, au cas où ils décideraient effectivement de partir. Avec les dégâts infligés à la D117par les GO, il leur serait difficile de partir vers la mer à l'est, mais ils se pourrait qu'ils essayent malgré tout.

Des plans d'attaque du dépôt furent élaborés. Des maquisards des deux groupes furent mis en place dans les collines couvrant toutes les routes menant à Couiza, afin d'empêcher les Allemands de renforcer la cinquantaine d'hommes qui gardaient le dépôt. Le lendemain, ils feraient ce qu'ils pourraient pour bloquer toutes les routes autour de Couiza et d'Espéraza. Les deux villages sont limitrophes, avec Couiza au nord.

Il allait falloir faire vite.

CHAPITRE 16

Septième jour avec le maquis

10 h 30-17 août 1944

GORGES DE CASCABEL

À Carcassonne, les troupes allemandes reçoivent l'ordre de faire route vers le nord

PERCHÉS EN HAUT D'UNE falaise surplombant la D118, à trois kilomètres au sud d'Alet-les-Bains, un petit groupe de maquisards vit apparaître la longue colonne de soldats au détour du virage. Le bruit d'un grand nombre de camions résonnait dans le défilé.

« Ne tirez pas ! Il faut attendre qu'ils soient plus près ! »

Les six FFI attendaient avec leur officier français. L'odeur de l'excitation et de la peur était dans l'air. L'odeur de l'essence, le bruit des bottes sur la chaussée, tout semblait se rapprocher trop vite.

« Feu ! »

Un accrochage bref mais violent contre les Allemands s'ensuivit. Ceux-ci n'arrivèrent pas traverser le barrage de balles et de grenades. La colonne fut obligée de faire demi-tour et de se retirer, emportant trois blessés avec elle.

12h30 - 17 août 1944
Gorges de Cascabel

LES ALLEMANDS REVIENNENT. Cette fois, ils réussirent à déborder les résistants, dont trois furent tués. Le convoi poursuivit sa route vers Couiza et le dépôt de ravitaillement, quatre kilomètres plus au sud. C'étaient des troupes de choc, bien armées. À son arrivée, le chef d'unité ordonna aux habitants de charger les camions. Il prit six otages : l'abbé Seigne, curé de la paroisse, le maire et quatre autres notables.

À Alet-les-Bains, Mme Roussille, présidente de la Croix-Rouge locale, tentait de joindre l'abbé Seigne pour savoir ce qui se passait. Les corps des trois maquisards tués furent apportés à Alet. C'est à cette occasion qu'elle fut informée que le curé avait été pris en otage.

14h00 - 17 août
Quillan

DANTON ET BAYARD, de garde au pont de Quillan, avaient rapidement appris l'accrochage et la mort des trois FFI. Le lieutenant Swank et son peloton partirent avec environ dix-huit maquisards peu après avoir appris cette nouvelle. Leur plan était de rejoindre les hommes de garde dans les gorges, à deux kilomètres au nord d'Alet. Avec les Allemands à proximité de Couiza, il leur fallait trouver un autre itinéraire. Les maquisards qui les accompagnaient leur montrèrent comment contourner Espéraza et Couiza. En arrivant à Alet, ils commencèrent par poser des mines au sud de la ville avant de continuer vers les gorges, direction Carcassonne.

17h00 - le 17 août
Étroit d'Alet

DÈS SON ARRIVÉE DANS LA GORGE, à deux kilomètres au nord d'Alet, le lieutenant Swank, accompagné du sergent Galley, de Kohn, de Frickey et de Veilleux, se mit à rechercher le meilleur endroit pour obtenir le plus de dégâts. Le camion avec les explosifs était garé sur le bas-côté. Certains des maquisards escaladèrent la pente pour faire le guet, pendant que les autres s'avancèrent sur la route pour arrêter la circulation. Le plan était de tendre une embuscade pour empêcher le retour du convoi à Carcassonne. Le plan initial du lieutenant Swank avait été de faire sauter le pont de chemin de fer traversant la rivière au nord de la gorge. Après une discussion avec le sergent Galley, le lieutenant Swank décida qu'il serait plus efficace, pour bloquer la route, de dynamiter des rochers de la falaise plutôt que le pont. À ce moment, Danton arriva au guidon de sa Royal Enfield et se précipita vers le lieutenant Swank, en disant « Les nazis se préparent à partir de Couiza ! Ils seront bientôt ici ! »

Paul et ses hommes se dépêchèrent de placer leurs charges.

Pendant qu'ils étaient occupés à le faire, une voiture, qui transportait ce qui ressemblait à un blessé, passa à toute vitesse vers le sud. Malgré Lazare, Cordoba, Pépé et un autre maquisard qui bloquaient la circulation vers le sud, ce véhicule avait réussi à passer. Est-ce qu'ils allaient prévenir les Allemands de l'embuscade ? La détonation des explosifs ne se passa pas comme prévu. Danton remonta sur sa moto. « Les nazis seront bientôt ici ! Ils ont beaucoup de Français dans un camion à l'avant de la colonne ! Le curé, le maire et quatre autres personnes sont attachés à l'avant du camion suivant ! »

La première explosion n'avait pas causé assez de dégâts. Avec les Allemands qui approchaient rapidement, le lieutenant Swank et le Sergent Galley n'avaient pas le temps de placer d'autres charges. Alors que le groupe courait vers le camion, les balles commencèrent à voler. Sachant que les Allemands étaient armés d'armes automatiques et de mortiers, le lieutenant Swank ordonna

« Kohn, Veilleux ! Montez sur le talus, là ! Frickey ! Tu t'en occupe ! Tous les trois, mettez-vous derrière ces rochers ! Les voilà ! »

Les trois hommes, crapahutant dans la pente escarpée, réussirent à se mettre à l'abri, au milieu des éclats de pierres et de la terre qui volait autour d'eux. Ils prirent position derrière des rochers et commencèrent à tirer sur les Allemands, en veillant à ne pas toucher les otages. Ils étaient consternés de voir les habitants à l'avant des camions allemands.

Le lieutenant Swank prit position derrière la roue avant droite du camion, pendant que le sergeant Galley se mettait derrière la roue arrière gauche. En tirant de manière ininterrompue, ils réussirent à retarder l'avance des Allemands pendant que le reste du groupe se mettait à l'abri. Galley entendit, venant de la roue avant droite « Ils m'ont eu ! »

« Mon lieutenant ! Mon lieutenant ! Est-ce que ça va ? », appela-t-il en essayant de se rapprocher de Swank. Mais les balles continuaient de voler, et il n'entendit rien de plus.

Toujours sans réponse, il continua de se battre seul jusqu'à ce qu'il ne puisse plus se servir de son arme, la main droite brisée par une balle explosive. Pensant que le lieutenant Swank était mort, il quitta l'abri du camion et se mit à courir, en laissant une traînée de sang derrière lui. Les balles pleuvaient tout autour de lui. Des étincelles sautaient de la chaussée. Il réussit à escalader le talus sous le feu protecteur des autres hommes. Ce n'est qu'après s'être mis à couvert qu'il s'aperçut qu'il avait également reçu une balle dans le pied.

Les Allemands furent bientôt partout. Kohn était seul sur une falaise surplombant la route, d'où il pouvait facilement attaquer l'ennemi. Il entendit deux Allemands s'approcher derrière lui. L'un d'eux dit : « Recht fünf meters » (à droite, cinq mètres).

Jean Kohn se figea, pensant : « C'est de moi qu'ils parlent ! » La seule chose dont il se rappela fut l'explosion de la grenade près de lui, qui fit sauter son bonnet en laine. Il se souvint de ses ordres : « Ne vous battez pas s'ils sont plus nombreux que vous. » Il courut jusqu'en haut de la pente et se cacha dans des buissons, où il finit par s'endormir. Le lendemain matin, il se rendit compte qu'il avait été blessé à la cuisse droite.

La nuit était tombée. Veilleux, quant à lui, s'était retrouvé séparé de Kohn et de Frickey. Pendant qu'il essayait de retrouver ses amis, il se fit tirer dessus par trois Allemands. Il se laissa tomber au sol, roula dans un fossé et fit le mort. Quand les Allemands s'approchèrent pour vérifier, il visa, calmement, et les tua tous les trois. Frickey avait réussi à rejoindre quelques maquisards et à revenir à Quillan.

Lorsque les combats semblèrent avoir cessé, Danton redescendit sur la route. Le camion des GO, un Renault, était entouré d'Allemands, qui se tenaient autour du corps de Paul Swank. Celui-ci avait été touché à quatre reprises aux jambes et aux bras par des tirs d'armes automatiques avant de tomber. Même après avoir été touché, il avait fait l'effort de dégainer son pistolet pour poursuivre le combat aussi longtemps qu'il lui restait de la vie. Le commandant allemand déchargea son pistolet dans la gorge de Paul. Les balles sortirent derrière l'oreille droite.

À présent, toute la ville avait entendu parler des trois Français qui avaient été tués par les Allemands. Ils savaient qu'il ne faudrait pas longtemps avant d'entendre le bruit des camions rentrant à Carcassonne. Les Allemands, qui n'aimaient pas être dehors après la tombée de la nuit, repassaient normalement aux alentours de 16 h ou 17 h, en rapportant du ravitaillement et différentes choses provenant du dépôt de Couiza. Tout d'un coup, une explosion très forte se fit entendre. Les adultes firent rentrer les enfants dans les maisons, puis les tirs d'armes automatiques commencèrent à retentir. Les habitants avaient peur. Et si les Allemands décidaient de détruire Alet, comme il l'avait fait pour d'autres villes et villages où ils avaient été attaqués ? Quelqu'un arriva en courant sur la place, frappant aux portes et disant à tous que les Allemands étaient au pont, sur le point d'entrer dans Alet.

Apparemment, le commandant allemand avait arrêté ses camions devant Alet en entendant l'explosion ; il avait été vu en train de parler à quelqu'un avant que le convoi ne reparte vers Limoux. Des otages étaient attachés sur les toits des camions. L'un d'entre eux avait été tué : François Tellier, de Carcassonne.

17 août 1944
Alet-les-Bains

GUY SARRAZI AVAIT 14 ANS et était élève, ce jour fatidique à Alet. C'était un après-midi chaud, voire même très chaud, typique de la mi-août. Des enfants jouaient dehors, l'odeur des dîners en préparation avec ce qui était disponible flottait dans l'air, quelques personnes discutaient entre voisins. De nombreux autres enfants étaient absents, comme c'était le cas depuis des semaines. Les Allemands ayant tendance à rassembler les plus âgés pour les envoyer dans des camps de travail en Allemagne, les jeunes plus âgés que Guy avaient fui la ville et étaient partis en forêt. Jean Martinez, l'un de ces derniers, avait 19 ans. Il raconte que, avec des amis, ils dormaient souvent dans les champs, à la dure, et que des agriculteurs sympathiques leur donnaient de temps en temps à manger, parfois en contrepartie de travaux de ferme. Certains d'entre eux avaient rejoint un maquis. Ils étaient quasiment invisibles.

Guy était allé voir le corps de Paul, dans le bâtiment de la Croix-Rouge, au premier étage au-dessus du magasin, chez Mme Roussille. C'était très risqué pour elle de garder le corps d'un Américain qui s'était battu contre les Allemands. Guy y alla présenter ses respects, avec d'autres et, il faut le dire, avec la curiosité d'un adolescent de 14 ans. Il se souvient d'avoir vu un homme jeune, très grand, la tête bandée là où il avait été touché. Il ajoute que le corps avait été ensuite dissimulé dans la tombe de la famille Erminy à Quillan.

Les Allemands avaient été repoussés, perdant 19 tués et 24 blessés. Le passage de troupes allemandes sur la D118 était bloqué. Pour les Américains : 1 mort, 2 blessés.

Dans sa dernière lettre, datée du 24 juin 1944, Paul avait écrit :

> « Maman, je ne devrais pas te dire ça, mais c'est la meilleure chose qui me soit arrivée … Aujourd'hui, je suis allé dans un des hôpitaux où j'ai vu un sergent… Son rétablissement complet risque de prendre un an… Il m'a dit que si c'était à refaire, il ne le referait qu'avec moi, comme il l'avait fait auparavant. » La dernière phrase de Paul était : « Embrasse le bébé (de l'oncle John) pour moi, maman. Je t'assure que je préférerais être tué au combat demain que de vivre et de le voir refaire la même chose dans 20 ans. »

21 h 00 - 17 août
Étroit d'Alet

LE CALME SEMBLAIT ÊTRE revenu dans le petit village d'Alet. Roger Polin, vice-président de la Croix-Rouge française à Alet, accompagné de M. Bousquet, remonta la route jusqu'à à la gorge. Sa sœur, Mme Roussille, lui avait demandé de se renseigner à propos des otages. Quelques soldats se tenaient toujours autour du corps du lieutenant Swank.

M. Polin demanda à voir le commandant allemand, et il lui fut répondu qu'il fallait aller le trouver à Couiza. Au passage, ils s'arrêtèrent à Alet pour prendre madame Roussille. En arrivant à Couiza, ils trouvèrent un capitaine qui parlait avec quelques personnes, et qui disait : « Nous n'avons jamais vu personne se battre aussi dur que cet officier contre des forces aussi supérieures. » Il poursuivit en expliquant à M. Polin que c'était la raison pour laquelle il remettrait le corps à la population. Bien entendu, le capitaine avait déjà pris les papiers de Paul, son pistolet, sa plaque d'identité et sa montre. Avec l'ordre en main, messieurs Polin et Bousquet repartirent chercher le corps du lieutenant Swank pour l'apporter à Alet.

Le capitaine remercia ensuite Mme Roussille pour les soins prodigués à ses blessés. Celle-ci demanda au capitaine de libérer les otages. Il lui répondit qu'ils seraient libérés à Limoux mais que, en raison du couvre-feu, elle devrait attendre jusqu'au matin pour cela.

Persuadée qu'elle verrait le curé et le maire de Couiza le lendemain matin, Madame Roussille rentra à Alet. Le corps de Paul fut monté à l'étage du petit magasin de Mme Clarou, qui se trouvait au début de l'avenue Nicolas Pavillon, la rue principale d'Alet. Ce furent madame Roussille et sœur Melle Marie qui préparèrent son corps pour l'inhumation. Son meilleur salon funéraire fut transformé en chapelle ardente. Avec Lili Thébault et Élise Raynaud, elle veillèrent le corps de Paul Swank toute la nuit.

Paul Barrière croyant que Paul Swank était catholique, une grande cérémonie était en cours de préparation ; un grand enterrement était prévu le lendemain.

23 h - 17 août 1944
Village de Magrie

PEU DE TEMPS APRÈS AVOIR pu s'en tirer en partant dans la montagne, le sergent Claude Galley tomba sur Pedro et Ramon, ainsi que d'autres maquisards qui avaient accompagné les GO dans la gorge. Ils connaissaient un endroit où il serait en sécurité. Après environ cinq heures de marche à travers champs pour éviter les chemins, ils arrivèrent à Magrie, un petit village situé au nord-est d'Alet et au sud-est de Limoux, où deux des maquisards avaient habité. Laissant Galley attendre dans une cabane au milieu des vignes du pic de Brau, ils descendirent au village pour s'assurer qu'il était sûr. Après être revenu chercher le sergent, ils se rendirent derrière un café.

Celui-ci était géré par Hubert Tailhanran et sa mère Augustine ; c'est celle-ci qui ouvrit la porte de derrière en les entendant frapper. Il y avait Baptiste Boussieux et Armand Bourrel. Pedro et Ramon portaient le sergent Galley, que Madame Tailhanran accepta de cacher. En fermant la porte séparant la cuisine de la salle du café, dans laquelle un milicien faisait une partie de cartes avec d'autres clients, ils réussirent à le monter à l'étage et à le mettre dans un lit. Peu de temps après le départ des clients, le docteur Adams arriva de Limoux pour s'occuper du sergent Galley. Le lendemain, celui-ci fut transporté à l'hôpital de Quillan. Quand il se sentit en état, on l'amena à l'endroit où le lieutenant Swank avait été enterré, afin qu'il puisse lui rendre hommage. Encore plus tard, le sergent Galley fut transféré dans un hôpital de Carcassonne.

CHAPITRE 17

L'enterrement

6 h - 18 août 1944

Dans la montagne, près d'Alet

JEAN KOHN SE SENTIT beaucoup mieux une fois le jour levé. La première chose à laquelle il pensa fut de savoir comment revenir à Quillan. Il pensa ensuite à calmer les tiraillements de son estomac. Heureusement, il avait des bonbons dans une poche. Il faisait beau et chaud. Ce qui s'était passé la veille était presqu'un rêve. Il se mit en marche avant de se rendre compte, enfin, qu'il était blessé. Cette blessure à la cuisse lui fit réaliser la situation dans laquelle il se trouvait. Il gravit une colline, puis une autre avant, finalement, d'apercevoir une ferme. Peut-être pourrait-il y trouver de l'aide.

Après avoir passé pas mal de temps à voir s'il y avait des Allemands, il considéra pouvoir s'approcher de la maison en sécurité. Ses habitants furent très gentils avec lui, et lui donnèrent à manger et à boire. Après de nombreux appels téléphoniques à voix feutrée, ils lui apprirent que quelqu'un allait venir le chercher. Ce furent Raymond Barres, un autre ami de Paul Swank, et le gendre de Roger Polin qui vinrent le chercher. Jean Kohn n'arrivait pas à croire qu'ils avaient pu traverser Couiza sans être arrêtés. C'était le milieu de l'après-midi quand ils arrivèrent à Quillan, où ils rejoignirent les GO. Il fut sous le choc d'apprendre la mort du lieutenant Swank. Il savait qu'il n'aurait rien pu faire.

11 h - 18 août 1944
Alet

LES CORPS DES TROIS maquisards tués le matin du 17 avaient également été apportés chez Mme Roussille, pour être préparés avant leur inhumation. Dans son salon funéraire, leurs corps furent exposés à côté de celui du lieutenant Swank. Beaucoup de monde vint leur rendre hommage.

C'est là que des habitants de Couiza lui apprirent que le curé, le maire et les autres n'étaient toujours pas revenus, en la suppliant de voir ce qu'elle pouvait faire. Elle passa quelques appels téléphoniques et apprit que les otages n'avaient pas été libérés à Limoux comme promis, mais avaient été emmenés à Carcassonne. Elle y partit immédiatement.

Le capitaine allemand n'était pas un homme de parole.

À Carcassonne, elle alla voir le préfet, M. Marchais, qui lui apprit que Paul Barrière lui avait également demandé d'obtenir la libération des otages. Il avait essayé, mais non seulement le colonel allemand avait refusé de lui parler au téléphone, il avait catégoriquement refusé de le rencontrer. Le préfet lui dit qu'elle ne pourrait rien faire. Cependant, il lui fallait essayer.

Madame Roussille se rendit à la kommandantur. Elle était persévérante ; elle attendrait. Au bout de plusieurs heures, elle fut finalement autorisée à voir le colonel. Après avoir appris l'aide médicale qu'elle avait fournie à ses soldats, il céda et lui permit de repartir avec les otages.

14 h - 18 août 1944
Quillan

LE CORPS DE PAUL avait été apporté à Quillan. M. Barres conduisit les GO jusqu'à la place de l'église. Un cercueil spécial avait été fabriqué pour Paul Swank. Il était en chêne doublé en zinc, mais plus étroit qu'un cercueil normal, pour pouvoir être mis dans le caveau d'un Français tué par les Allemands en 1940. On ne pouvait pas faire confiance à la parole des Allemands. Les habitants voulaient s'assurer qu'ils ne pourraient pas revenir prendre le corps. Jean Kohn ne pouvait s'empêcher de penser : « Comment M. Barrière peut-il savoir que le lieutenant Swank était catholique ? Aucun de nous n'est au courant. Comment se fait-il qu'il le connaisse mieux que nous ? '

La place était remplie de gens venus de tous les villages

environnants. De belles fleurs étaient disposées un peu partout. Madame Roussille était arrivée peu de temps auparavant avec le corps du lieutenant Swank. Paul Barrière se tenait près du cercueil. Les hommes du groupe Peg sortirent des voitures et marchèrent lentement vers le cercueil. Paul Barrière se pencha et ouvrit le cercueil, afin que les hommes de Paul Swank puissent jeter un dernier regard sur celui pour qui ils avant tant d'admiration. Cette mort, leur première, les avait tous choqués. Kohn pensa : « Nous ne le connaissions que depuis si peu de temps avant notre mission, et pourtant, c'était comme si nous avions perdu un vieil ami très cher. »

Le lieutenant Weeks s'agenouilla près du cercueil et prit la main de Paul dans la sienne. Le visage de Paul était bandé. Tout était silencieux. Grahl Weeks se releva. Paul Barrière referma le cercueil. Lui, Barres, Weeks et le reste du groupe Peg soulevèrent leur précieux fardeau et se dirigèrent vers les portes grandes ouvertes de l'église. Monsieur l'abbé Molinier, curé d'Alet, célébra une messe en l'honneur de Paul et des trois FFI tués la veille.

Le corps de Paul Swank était à la place d'honneur. L'église était pleine à craquer. À la fin de la messe, les hommes de Peg, aidés de quelques maquisards, transportèrent le lieutenant Paul A. Swank au cimetière où il fut enterré à côté de Joseph Erminy, dans le caveau familial. Une cérémonie militaire eut lieu.

CHAPITRE 18

Fin de la mission

19 août 1944

Couiza

IL ÉTAIT TEMPS DE REVENIR à leur mission ; il était temps de terminer ce que le lieutenant Swank avait commencé. Le groupe Peg devait encore aller à Couiza et prendre le contrôle du dépôt de ravitaillement avant que les Allemands ne puissent l'évacuer. Tout semblait indiquer que la 11e division de Panzers avait reçu l'ordre de quitter Toulouse vers le nord. Elle n'avait pas pu partir vers l'est, à cause des dégâts infligés aux routes et aux ponts.

À Carcassonne, une grande confusion régnait. En raison des événements du 17 août et de la mort d'un soldat américain, les Allemands étaient persuadés que 500 parachutistes américains avaient atterri à Quillan. C'était l'impression que les hommes Peg et le maquis leur avaient donnée. À cette date, il n'y avait plus d'Allemands dans la région de Salvezines ni de Quillan.

Le lieutenant Weeks et le sergent Sampson avait fait des plans avec les maquis. Ceux-ci ne formaient alors plus qu'un seul groupe et travaillaient bien ensemble. À leur arrivée à Couiza, ils furent surpris de trouver le dépôt intact, et plein de rations. Il y aurait maintenant de quoi manger dans les communes environnantes. Il était évident que les Allemands n'étaient jamais revenus à Couiza. Il ne restait qu'une vingtaine d'hommes pour garder le bâtiment ; ceux-ci se rendirent rapidement, sans qu'un seul coup de feu ne fût tiré.

Une mauvaise nouvelle, cependant, fut la prise d'otages qui

avaient été mis à l'avant de camions, encore une fois, ce qui permit aux Allemands de forcer le barrage établi par les maquisards sur la D118.

Pendant ce temps, alors que les maquis s'occupaient de la distribution du ravitaillement, le groupe Peg se rendit à Limoux, d'où les Allemands étaient partis. Cette fois, ils avaient libéré les otages. Au moins, les Américains pouvaient se relaxer un peu. Ils effectuèrent également quelques reconnaissances. Une équipe Jedburgh[27] de passage leur demanda de l'aide pour faire dérailler un train de transport de troupes allant de Carcassonne à Narbonne. Quand le groupe atteignit le tunnel, il était trop tard pour faire dérailler le train, mais ils réussirent à détruire une longueur de rails suffisante pour empêcher les Allemands de s'en servir pour leur retraite éventuelle.

À Limoux, ils furent invités à dîner par quelques familles de maquisards. Ils eurent aussi droit à une réception officielle par le conseil municipal. Ils furent les témoins de ce qui était infligé aux collaboratrices, ou aux femmes apparentées à des collaborateurs. Après avoir été tondues, elles étaient promenées en ville. Les GO se rappelaient leurs ordres : « Ne vous immiscez pas dans les affaires locales. » Les habitants leur dirent que les femmes ne seraient pas tuées, et que leurs cheveux repousseraient.

23 août 1944

LES SOLDATS ALLEMANDS profitaient de toutes les occasions possibles pour déserter. Ils s'efforçaient souvent de passer en Espagne. Une bande de 32 de ces soldats essaya de forcer un barrage de maquisards à l'approche de Limoux. Quelques hommes de Peg arrivèrent et, après un combat assez bref, les Allemands se rendirent. Les Américains apprirent que la division allemande qui se trouvait à Carcassonne était en train de préparer son départ.

27 Note du traducteur : Il s'agit du groupe « Chrysler », parachuté dans l'Ariège dans la nuit du 16 au 17 août, dont faisait partie le futur général Aussaresses.

25 août 1944
Paris libéré

PARTOUT LES CLOCHES SONNAIENT. Les GO se mirent en route vers le nord. Ils arrivèrent à Carcassonne pour constater que la ville avait été abandonnée par les Allemands. Les Américains emménagèrent dans l'hôtel où le commandant allemand avait pris ses quartiers. Des photos d'Hitler, de Goering et autres nazis de haut rang avaient été laissées en place, dans la précipitation des Allemands à quitter la ville. Des résistants venant des quatre coins du département se rassemblaient enfin. Les Américains leur montrèrent comment organiser des embuscades, et les encouragèrent à combattre tous les petits groupes de soldats allemands qui erraient dans la région en essayant de passer en Espagne. Ce petit groupe d'Américains était bien incapable de gérer des prisonniers.

Limoux et Carcassonne avaient été libérés. Il était maintenant temps pour le groupe Peg de passer à autre chose. Ils partirent vers l'est, vers la côte, et firent leur jonction avec l'armée française à Montpellier. Après avoir passé la nuit à Marseille, ils arrivèrent au quartier général de la Septième Armée américaine, dans le Var, le lendemain. Le lieutenant Weeks apprit qu'il fallait aller à Grenoble pour y retrouver le colonel Livermore et le commandant Cox ; tous les autres groupes opérationnels s'y trouveraient. L'armée américaine, pour sa part, était à Avignon.

Ils laissèrent les sergents Galley et Armentor à l'hôpital américain, et continuèrent la route vers Grenoble. Ils y arrivèrent en fin d'après-midi et furent envoyés dans une résidence universitaire, qui était inoccupée puisque on était en été. Quelques-uns des autres GO étaient déjà arrivés. Ils avaient surnommé la résidence « Hôtel Cox ». En septembre, un service commémoratif pour le lieutenant Paul Swank eut lieu à l'église Saint-Joseph. Celle-ci était pleine à craquer pour l'occasion.

Un Américain était venu se battre pour libérer la vallée de l'Aude. Il était mort pour elle.

CHAPITRE 19

La suite

18 h - 9 octobre 1944

Houston

LA JOURNÉE AVAIT ÉTÉ PARFAITE. Un front froid avait traversé Houston la nuit précédente, amenant un peu de pluie. L'air était maintenant sec et frais. Les enfants étaient rentrés après avoir joué dehors ; ils étaient dans leurs chambres, occupés à faire leurs devoirs avant le dîner. Conway, maintenant âgée de trois ans, était avec Tatie et Momma dans la chambre de celles-ci.

On sonna à la porte, et Caro, qui avait alors 16 ans, se précipita dans l'escalier pour ouvrir. Derrière la porte, un homme en tenue de télégraphiste lui annonça un télégramme pour une certaine Mme Mary Swank. Alors qu'elle s'apprêtait à saisir l'enveloppe tendue, son père arriva en courant et pris l'enveloppe de la main du télégraphiste.

Tout en cherchant de la monnaie dans sa poche, il demanda à Caro d'aller chercher sa mère. Sa femme sortit de la salle de séjour pendant qu'il refermait la porte d'entrée. John Ivy lui dit qu'il avait peur que ce soit une mauvaise nouvelle. Il lui demanda de téléphoner au médecin de la famille en lui demandant de venir tout de suite. La mère de John avait 81 ans ; elle avait été très malade récemment. Il était sûr que le télégramme concernait Paul, le fils unique de sa sœur.

C'était en effet une mauvaise nouvelle. Il apprenait à notre famille, avec près de deux mois de retard, la mort de Paul. Il pouvait arriver aux nouvelles de voyager lentement, pendant la guerre, surtout à propos d'une mission secrète.

Mary Ivy Swank était une femme remarquable. Elle avait 35 ans à la mort de son mari. Elle avait élevé son fils unique jusqu'à l'âge adulte, et s'occupait maintenant de sa mère. Toutefois, elle n'était pas seule. Elle disposait du soutien de ses trois frères et de leurs familles. En 1942, elle s'était installée, avec sa mère, chez son frère John. Avant cette date, elle avait toujours passé ses étés et toutes les grandes fêtes avec eux. Son fils, Paul, avait été plus un frère qu'un cousin pour les cinq enfants de John.

16 h - 6 janvier 1945
Houston

MARY AVAIT REÇU APRÈS Noël, du général Donovan, le patron de l'OSS, une lettre qui disait :

> « C'est avec un profond regret que j'ai appris le décès de votre fils Paul, en action à l'étranger.
>
> « Paul s'était porté volontaire pour des missions de combat dangereuses avec l'organisation que je dirige ; il a été l'un des premiers officiers à rejoindre notre unité militaire en Europe. Son remarquable dévouement à son devoir, son courage et son leadership remarquable lui ont valu l'admiration et le respect des officiers avec qui il travaillait ainsi que de ses hommes. Le lieutenant-colonel Alfred T. Cox, son chef de corps, considérait Paul comme un de ses meilleurs officiers.
>
> Le colonel Cox a exprimé le souhait de vous rendre visite et de vous transmettre personnellement la profonde sympathie de tous les officiers et tous les hommes de l'unité commandée par votre fils. Au nom de cette agence, j'ai demandé au colonel Cox de vous transmettre également nos condoléances les plus sincères pour cette perte. »

Un autre télégramme arriva. Cette fois-ci, il apportait une meilleure nouvelle. « SOUS RESERVE AVION ARRIVERAI HOUSTON LE SEPT. VOUS CONTACTERAI EN ARRIVANT. ALFRED T COX LT-COL. INF. »

Al Cox, le chef de corps de Paul, allait venir voir Mary et sa famille. Elle s'y attendait, mais fut surprise qu'il puisse venir si peu de temps après la lettre du général Donovan.

Al Cox leur apprit beaucoup de choses au sujet de Paul, dont aucune ne pouvait être répété, parce que tout était encore secret. Il leur raconta en détail les événements ayant précédé le 17 août 1944, ainsi que ceux survenus les jours suivants. Avant sa mort, Paul figurait au tableau d'avancement pour être promu capitaine. En à peine plus d'un an, Paul serait ainsi passé de jeune sous-lieutenant frais émoulu à capitaine. Il avait dû faire beaucoup de choses correctement. Mary Swank cita Al Cox dans une lettre à un ami : *« Pour comprendre combien j'ai souffert, sachez que Paul et moi étions plus proches que des frères. »*

Il raconta également à Mary Swank et à l'oncle John d'autres choses que Paul avait faites avant d'être envoyé pour la dernière fois dans le sud de la France. Paul s'était échappé de France à pied, déguisé en curé, et était rentré en Algérie en passant par l'Andorre et l'Espagne. Il fut également question d'un retour sur terre après avoir quitté un sous-marin par un tube lance-torpilles.

Aucune de ces choses n'a jamais été démontrée, mais personne n'a jamais non plus accusé la mère de Paul, pas plus que son oncle John, d'exagérer quoi que ce soit. Ils apprirent également que Paul avait participé à la campagne d'Italie. Paul lui-même avait mentionné, dans une lettre à sa grand-mère, avoir effectué 16 sauts en parachute. Il avait été breveté parachutiste après un entraînement en Algérie. Il avait également suivi un autre stage d'entraînement en Sicile après avoir participé à la campagne d'Italie.

Dans la même lettre à sa grand-mère, il écrivait :

> « Dit à oncle John que je suis allé, non pas une seule mais quatre fois, là où je lui ai dit que j'irai, et qu'un de ces jours nous allons sans doute y rester un bon moment ; fais bien attention à ce qu'il y a dans les journaux. »

Si l'entraînement peut expliquer une partie des 16 sauts en parachute, il n'explique pas les quatre sauts dont il souhaitait que l'oncle John soit informé.

Al Cox ne passa que quelques jours avec notre famille avant d'être obligé de repartir. Il allait être muté en Chine, où la majorité des GO français, dont la mission en France était désormais finie, avaient choisi de le rejoindre. Dans une lettre à Mary Swank datée du 11 mai 1945, il écrivait :,

> « On m'annonce d'Italie que la Distinguished Service Cross[28] a été attribuée à Paul pour son extraordinaire

28 Note du traducteur : Croix du service distingué (États-Unis)

> héroïsme au combat ... Le petit bâtiment servant de cantonnement aux officiers en Chine a été baptisé Camp Paul Swank ; j'espère vous en envoyer quelques photos. »

La visite du colonel Cox sembla motiver Mary Swank et, à certains égards, la sortir de son chagrin. Al Cox s'était rendu sur la tombe de Paul à Quillan. Le lundi suivant le départ d'Al Cox, Mary Swank était au téléphone pour trouver le meilleur professeur de français à Houston. Deux jours plus tard, elle prenait sa première leçon. Elle acheta un tourne-disque et des disques en français afin de pouvoir travailler sur son accent chez elle, en plus de ses cours.

Elle prit contact avec Henri Job, qui était alors consul de France à Houston,. Par coïncidence, il se trouvait qu'il connaissait bien la région de Carcassonne, ayant une maison dans l'Aude. Grâce à ses contacts en France, il obtint des rapports contenant les détails des événements survenus dans l'Étroit d'Alet. Il obtint même l'adresse de Mme Roussille, qui s'était si bien occupée du corps de Paul. Marie voulait écrire à M. l'abbé Molinier. Elle voulait écrire au camarade de combat français de Paul, le maquisard Paul Barrière, qui avait organisé son enterrement.

Henri Job lui donna les nouvelles de la France. Tout y était rare : nourriture, vêtements, fournitures de toutes sortes. Les gens n'avaient rien. Les Allemands avaient tout pris ou tout détruit.

Avec l'aide de son professeur de français, elle écrivit ses premières lettres en France. Elles étaient destinées à madame Roussille, à Paul Barrière, et à monsieur l'abbé Molinier, le curé d'Alet. Elle se mit à rassembler des paquets de nourriture, de café, de savon, de conserves et autres objets indispensables introuvables en France. Sa famille et ses amis l'aidaient avec enthousiasme.

À la fin de l'été, elle reçut une lettre de Paul Barrière. Il y parlait de son amitié avec Paul, et du cercueil de dimensions spéciales, en chêne doublé de zinc, qu'il avait réalisé pour lui. Il lui disait où Paul avait été enterré afin que les Allemands ne puissent pas retrouver son corps. Il parla des fleurs qui avaient été déposées sur sa tombe le 1er novembre 1944, Jour des morts. Il ajoutait : « Votre fils va être décoré à titre posthume de l'une des plus grandes décorations françaises. »

À peu près au même moment, Mary reçut une lettre de Roger Polin, le frère de Mme Roussille. Dans celle-ci, il disait que deux officiers de l'armée américaine étaient venus chercher le corps de Paul pour le transférer. Il parlait également d'une plaque commémorative qui allait être posée à l'endroit où Paul était mort « ... et que Monsieur l'abbé Molinier, curé d'Alet, célébrera une messe à sa mémoire, le 17 août 1945, pour l'anniversaire de sa mort. »

Avril 1946

LE MOMENT ÉTAIT VENU pour Mary Swank de préparer son voyage pour aller sur la tombe de son fils en France. On avait conseillé à Mary d'inclure, avec sa demande de passeport, un paragraphe sur son fils pour expliquer son grand désir de se rendre en France cet été-là. Dans sa lettre, elle déclarait que les habitants d'Alet se rendraient de nouveau en pèlerinage, le 14 juillet 1946, à l'endroit où il avait été tué. À cette occasion, la Croix de Guerre avec palme lui serait remise à titre posthume, et sa présence avait été réclamée. Elle ajoutait que, depuis mai 1945, elle envoyait quatre colis par semaine aux familles qui avaient récupéré son corps auprès des Allemands et l'avait préparé pour l'enterrement.

Elle avait prévu de prendre un bateau de la Lykes Steamship Company au départ de Houston. Elle partirait le premier juin et rentrerait à Houston dans le courant du mois d'août. Maintenant que son passeport et son billet étaient réglés, elle allait maintenant s'occuper du deuxième aspect de son voyage, un aspect très important pour elle. Elle voulait en effet emporter le plus de ravitaillement et de vêtements possible. Il lui fallut remplir et signer un « Certificat et déclaration d'exportation ». En plus de ses deux valises personnelles, de son appareil photo et d'une bouteille thermos, elle emporterait trois malles. Celles-ci seraient remplies de vêtements et de conserves de toutes sortes, de café, d'huiles, d'œufs en poudre, de lait en poudre et de lait concentré, de chocolat et de fromage. Elle apprit qu'il était préférable d'emballer les malles dans des caisses et d'y faire apposer les cachets de la douane.

Juin 1946
Alet-les-Bains

MARY FUT ACCUEILLIE très chaleureusement à son arrivée à Alet. Mme Roussille lui confia qu'une note avait été trouvée dans une poche du pantalon de Paul. Celle-ci déclarait que, s'il mourait, il souhaitait être enterré là où il était tombé. Après le départ des Allemands, des fleurs fraîches avaient été déposées chaque semaine sur le caveau de Quillan dans lequel Paul avait été enterré le 18 août 1944. Pendant plusieurs jours, les nouveaux amis de Mary l'emmenèrent dans tous les endroits où Paul était allé. Elle rencontra même quelques-uns des habitants de Couiza qui avaient été pris en otages ce jour-là. Les maquisards ne cessaient de lui dire combien ils avaient aimé et respecté son fils. Elle avait du mal à croire à quel point ils l'aimaient, alors qu'ils ne l'avaient connu que quelques jours à peine.

L'après-midi du 14 juillet, ils l'amenèrent en voiture à l'Étroit d'Alet, pour lui montrer l'endroit exact où Roger Polin avait retrouvé le corps de Paul. Là, tout près, juste au-dessus de cet endroit sacré, elle put voir la stèle portant le nom de Paul.

Mary savait où se trouvait le corps de Paul : dans un cimetière américain, à Luynes, entre Marseille et Aix-en-Provence. Elle ne leur dit pas. Elle savait qu'ils voulaient qu'il soit à Alet, et elle savait que c'était là que Paul aurait voulu être. Elle était passée par Luynes avant d'arriver à Alet, et elle y retournerait avant de quitter la France. Une fois rentrée chez elle, elle s'occuperait de faire transférer le corps de Paul là où il fallait.

Toutefois, le transfert des restes de Paul à Alet ne s'avéra pas aussi simple qu'on aurait pu le penser. Paul Barrière lui avait appris qu'une tombe allait être construite à l'endroit où Paul avait été tué, au bord de la route. « Elle sera construite avec des pierres de notre village en signe de gratitude. » La stèle serait mise à la tête de la tombe, et l'inscription « et il repose ici conformément à son souhait » y serait ajoutée.

Il allait lui falloir prendre contact les autorités compétentes.

Avril 1948

LE PRINTEMPS 1948 APPORTA deux surprises à Mary. Tout d'abord, elle reçut une lettre de Paul Barrière l'informant que la tombe serait bientôt prête. La plus grande surprise venait d'Al Cox. Il n'était plus dans l'armée, et allait venir voir la famille de Paul. Mary lui avait écrit en lui parlant du problème qu'elle avait. Elle n'arrivait en effet pas à savoir qui contacter pour faire transférer le corps de Paul à Alet. Il lui apprit qu'elle devait contacter la « *Graves Commission* »[29].

Elle envoya alors une autre lettre au service du « *Quartermaster General*[30] ». Elle avait rempli un formulaire indiquant son désir de voir le corps de Paul transféré à Alet (Aude, France). Elle avait autorisé l'envoi de son corps au soin à Paul Barrière. En avril, elle reçut une lettre-type accompagnée d'une brochure indiquant

29 Note du traducteur : L'organisme qui gère les cimetières militaires américains, aux États-Unis et à l'étranger.

30 Note du traducteur : Le « *Quartermaster General* » gère le service de l'intendance dans l'armée américaine.

l'emplacement de tous les cimetières américains. Elle reçut également une copie des formulaires qu'elle avait déjà remplis et envoyés au service du « *Quartermaster General* ».

Le 22 avril, elle envoya à Paul Barrière un message lui indiquant qu'elle effectuait les démarches nécessaires auprès des autorités militaires américaines aux États-Unis afin que des ordres puissent être envoyés aux autorités américaines en France afin d'organiser le transfert de la dépouille de Paul. Le 28 avril, elle envoya un autre télégramme à Paul Barrière dans lequel elle indiquait avoir écrit au « *War Department*[31] » en demandant d'ordonner au consul américain à Marseille de faciliter le transfert. Le 19 mai, la mère de Paul reçut un autre télégramme de Paul Barrière. Il avait été informé par l'entreprise de pompes funèbres de Carcassonne, qu'il avait contactée pour recevoir le corps, que celle-ci n'avait pas réussi à l'obtenir. Le télégramme se terminait par : « *J'espère que les démarches que vous allez effectuer aboutiront rapidement* »

4 juin 1948

L'ENTREPRISE DE POMPES funèbres avait reçu une lettre envoyée par le commandement des cimetières militaires américains en Europe. La première chose qu'elle contenait était que le corps du lieutenant Swank n'était plus au cimetière militaire américain de Luynes. Il avait été transféré au cimetière militaire américain de Draguignan, dans le Var. Elle disait ensuite « *Rien d'autre ne sera entrepris pour le transfert des restes du lieutenant Swank sans instructions spécifiques basées sur une demande de la famille.* ».

6 juillet 1948

PAUL BARRIÈRE, ALORS PRÉSIDENT de la Ligue française de rugby à XIII, avait également tenté d'accélérer le transfert de la dépouille de Paul Swank par l'intermédiaire du cabinet du préfet des Bouches-du-Rhône, qui avait contacté le Secrétaire général. Ce n'est pas un hasard si ce sont les Français qui ont inventé le terme « bureaucratie »[32] .

Et toujours aucun résultat !

Mary Swank écrivit alors à un général de division du bureau du

---

31 Note du traducteur : Ministère américain de la guerre
32 Note du traducteur : En français dans le texte.

« *Quartermaster General* » à Washington, ainsi qu'à un lieutenant du commandement des cimetières américains en Europe. Elle commençait à être très inquiète, sachant qu'en France presque tout s'arrête en août. Elle les suppliait de faire ce qu'elle désirait si fort, tout comme les habitants d'Alet-les-Bains. Une lettre arriva à Houston le 22 juillet 1948. Elle disait

> « Tous les documents concernant le transfert des restes du lieutenant Paul A. Swank ont été envoyés au commandement à l'étranger le 21 juillet. »

Le télégramme suivant fut envoyé à Paul Barrière :

> « Des ordres spéciaux de Washington ont été envoyées à Paris par courrier aérien le 21 juillet, accordant la priorité absolue au transfert chez vous de la dépouille de Paul qui se trouve à Draguignan. La Commission des cimetières américains est chargée de vous contacter et de coopérer avec vous sans délai », signé Mary Swank.

9 h 30 - 9 janvier 1949
Carcassonne

CE DIMANCHE MATIN, dans le sud de la France, était froid, mais beau. Une foule très spéciale était réunie pour une cérémonie non moins spéciale. La cathédrale de Carcassonne débordait de monde. Il y avait des fleurs partout. Un magnifique cercueil, recouvert d'un drapeau américain, fut porté dans la cathédrale, suivi par une cinquantaine de personnalités. Parmi celles-ci, on reconnaissait l'ambassadeur américain en France, M. Jefferson Caffery, le préfet de l'Aude, monsieur Picard, le chef d'état-major de l'armée de terre, le général Revers, le maire d'Alet-les-Bains, René Raynaud, le curé d'Alet-les-Bains, l'abbé Molinier et de nombreux officiers américains et français de hauts grades. L'archevêque Suberville n'avait jamais assisté à une cérémonie si émouvante, et la cathédrale n'avait jamais vu autant de notables.

11 h 30 - 9 janvier 1949
Étroit d'Alet

LE CORTÈGE parti de Carcassonne arrive à la tombe. L'abbé

Molinier donne les bénédictions.

Il envoya le lendemain à Mary Swank la lettre suivante :

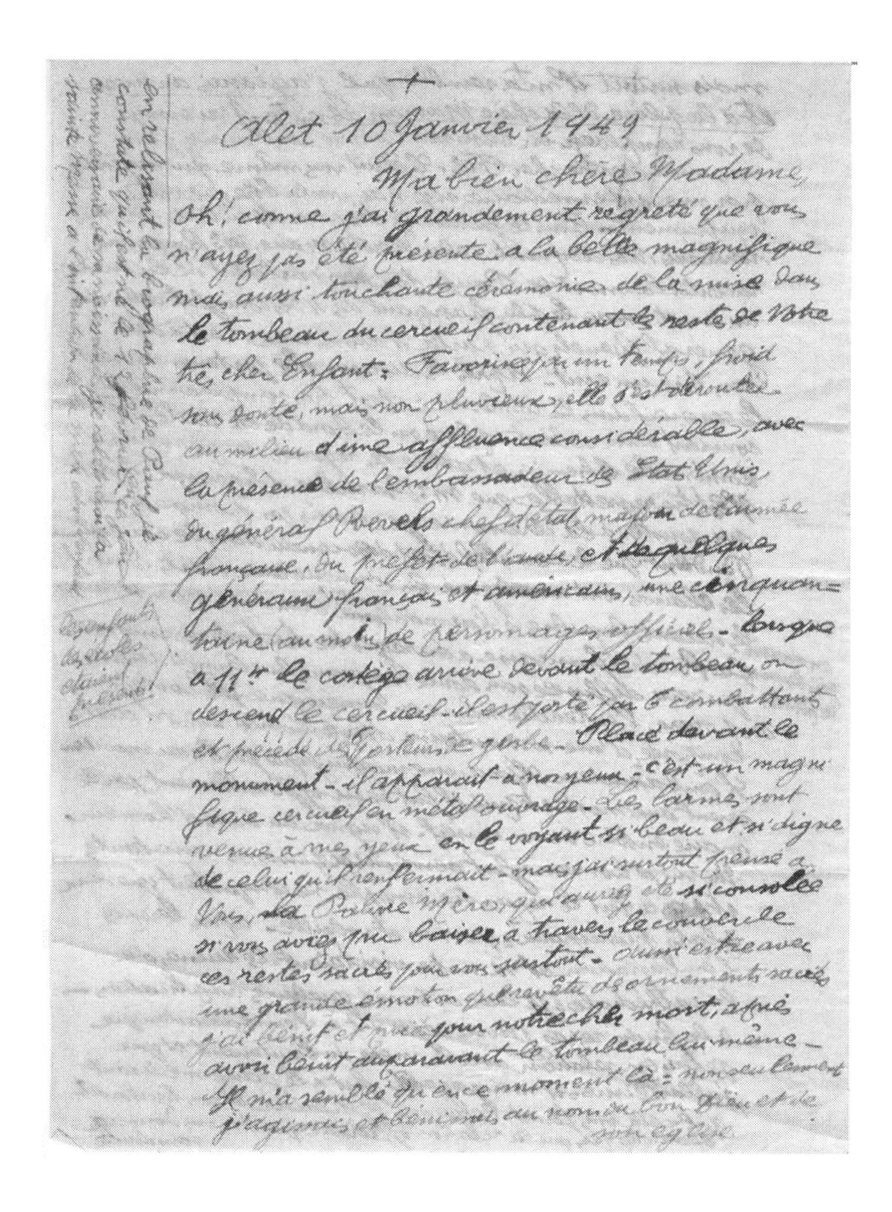

+

Alet 10 Janvier 1949

Ma bien chère Madame,

Oh ! comme j'ai grandement regretté que vous n'ayez pas été présente à la belle magnifique mais aussi touchante cérémonie de la mise dans le tombeau du cercueil contenant les restes de votre cher Enfant. Favorisée par un temps froid sans doute, mais non pluvieux, elle s'est déroulée au milieu d'une affluence considérable, avec la présence de l'embassadeur des Etats Unis, du général Revels chef d'état major de l'armée française, du préfet de l'Aude, et de quelques généraux français et américains, une cinquantaine (au moins) de personnages officiels. Lorsque à 11h le cortège arrive devant le tombeau on descend le cercueil. il est porté par 6 combattants et précédé de [illegible]. Placé devant le monument il apparaît à nos yeux. c'est un magnifique cercueil en métal ouvragé. Les larmes sont venues à mes yeux en le voyant si beau et si digne de celui qu'il renfermait. mais j'ai surtout pensé à vous, sa Pauvre Mère, qui auriez été si consolée si vous aviez pu baiser à travers le couvercle ces restes sacrés pour vous surtout. Aussi est-ce avec une grande émotion que revêtu des ornements sacrés j'ai béni et prié pour notre cher mort, après avoir béni auparavant le tombeau lui-même. Il m'a semblé qu'en ce moment là = non seulement j'agissais et bénissais au nom du Bon Dieu et de son église

Des enfants des écoles étaient présents !

Figure 1 - Lettre envoyée à Mary Swank par l'abbé Molinier le 10 janvier 1949

mais surtout il m'a semblé que j'agissais au nom
et à la place de la chère Maman absente - J'ai essayé
de vous remplacer en bénissant comme vous l'auriez fait
vous même votre cher Fils. C'était vous même qui agissiez
par mon intermédiaire et je n'ai voulu être que votre
instrument - Puis ce furent les discours 4 en tout, tous très
touchants, très éloquents - celui de notre maire Mr Raynaud
raconta la mort de Paul - tous parlèrent de la mère
du mort, mais le plus frappant des 4 discours fut celui du
général Revels qui parla d'abondance c'est à dire
sans lire un écrit - après les discours les porteurs mirent
le cercueil dans le tombeau - il est très simple comme il
convient à un soldat - placé sur le bord de la route il
domine le chemin et attire les regards des passants.
Il est très regrettable que Mr Barrère d'Espéraza n'ait
pu assister à la cérémonie je ne sais pas pourquoi —
Pendant que le cercueil était descendu dans le caveau
les clairons ont joué la sonnerie aux morts - dont
les accents lugubres s'harmonisaient bien avec ce qui se faisait
La Radio française a enregistré toute la cérémonie
qui sera diffusée sans doute aujourd'hui lundi (comme
on pourra l'entendre même en Amérique) Le cortège [illegible]
composé d'une soixantaine d'automobiles
L'ambassadeur déposa une magnifique gerbe au monument
aux morts et puis il fut reçu officiellement par le
maire entouré de son conseil - il signa au livre d'honneur
Un vin d'honneur fut servi aux personnes assistantes
et puis ce fut le repas très simple ne comportant que deux
plats principaux - fromage et [illegible] - après le repas
l'ambassadeur et sa suite visitèrent les ruines de
la cathédrale - je leur ai donné quelques explications —
à la fin du repas j'avais déjà dit à l'ambassadeur que
je suis en relation avec la mère du lieutenant et que
j'allais écrire - il m'engagea fort à le faire me disant
que cela vous ferait beaucoup de plaisir - et en touchant
beaucoup plus que la relation officielle que l'on vous donnera sans doute

on n'a pas pris beaucoup de photos

C'était fini – Le cortège revint à Carcassonne (2)
et ainsi se termina cette journée que l'on peut qualifier d'historique pour notre petite ville d'Alet –
Et nous voilà dépositaires et gardiens de votre cher Enfant
le dépôt si sacré nous le garderons fidèlement et pour ma
part je me ferai un devoir bien facile de le visiter pour
y prier et pour le mort et pour sa douloureuse mère si
éloignée – comme par le passé je me souviendrai de
la Mère et de l'Enfant dans mes ~~[illegible]~~ humbles prières –
à cette promesse j'ajoute une espérance : c'est de voir
bientôt la chère Maman venir faire son triste mais si
consolant pèlerinage aux pieds de la tombe de son Fils –
Si le Bon Dieu le veut, cet été nous aurons sans nul doute
le très grand plaisir de vous voir et vous recevoir –
Souhaitons que l'état de santé de votre chère mère ne vous [illegible]
empêchera pas de venir en France – Voilà longtemps que
je n'ai plus de vos nouvelles [illegible] de votre mère
comment va-t-elle ? – est elle toujours

souffrante ? les froids de l'hiver ne la fatiguent-elles pas ?
Vite écrivez-nous pour nous tenir au courant – nous serons
si heureux de vous lire – mais je ne puis terminer cette lettre
sans vous dire combien je suis peiné de ce nouveau colis
envoyé par vous (comme nous a averti C.A.R.E.) il n'est pas encore
arrivé – Pourquoi malgré mes sincères demandes de ne
plus nous en envoyer, pourquoi avez-vous encore une fois écouté
votre trop bon cœur et commis une nouvelle « folie »
en vous imposant en notre faveur une pareille dépense ?
encore une fois je vous supplie de ne plus envoyer de
colis – notre reconnaissance n'en sera pas diminuée –
Veuillez vous contenter de nous écrire de temps en temps,
afin que nos relations auxquelles je tiens beaucoup continuent et afin que je serve de trait d'union désormais
entre la Mère en Amérique et le Fils reposant à Alet –
Veuillez bien, chère madame, recevoir de celui qui durant
toute la journée d'hier (?) a partagé votre tristesse et vos misères
l'expression de son plus affectueux dévouement en Jésus et Marie

Alet, 10 janvier 1949

Ma bien chère Madame,

Oh ! Comme j'ai grandement regretté que vous n'ayez pas pu être présente à la belle magnifique mais aussi touchante cérémonie de la mise dans le tombeau du cercueil contenant les restes de votre très cher Enfant. Favorisée par un temps, froid sans doute, mais non pluvieux, elle s'est déroulée au milieu d'une assistance considérable, avec la présence de l'ambassadeur des États-Unis, du général Revels [sic], chef d'état-major de l'armée française, du préfet de l'Aude, et de quelques généraux français et américains, une cinquantaine (au moins) de personnages officiels. Lorsque à 11 h le cortège arrive devant le tombeau, on descend le cercueil, il est porté par les combattants et précédé par 6 porteurs de gerbes. Placé devant le monument, il apparaît à nos yeux. C'est un magnifique cercueil en métal ouvragé. Les larmes sont venues à mes yeux en le voyant si beau et si digne de celui qu'il renfermait, mais j'ai surtout pensé à Vous, la Pauvre mère qui auriez été si consolée si vous aviez pu baiser, à travers le couvercle, ces restes sacrés pour vous surtout. Aussi est-ce avec une grande émotion que revêtu des ornements sacrés j'ai bénit [sic] et prié pour notre cher mort, après auparavant avoir béni le tombeau lui-même. Il m'a semblé qu'en ce moment-là non seulement j'agissais et bénissais au nom du Bon Dieu et de son église, mais surtout il m'a semblé que j'agissais au nom et à la place de la chère maman absente. J'ai essayé de vous remplacer en bénissant comme vous l'auriez fait vous-même votre cher Fils. C'était vous-même qui agissiez par mon intermédiaire et je n'ai voulu être que votre instrument. Puis ce furent les discours, 4 en tout, tous très touchants, très éloquents. Celui de notre maire, M. Raynaud, raconta la mort de Paul. Tous parlèrent de la mère du mort; mais le plus frappant des 4 discours fut celui du général Revels [sic] qui parla d'abondance, c'est-à-dire sans lire un écrit. Après les discours, les porteurs mirent le cercueil dans le tombeau ; il est très simple, comme il convient à un soldat. Placé sur le bord de la route, il domine le chemin et attire les regards des passants.

Il est très regrettable que M. Barrière d'Espéraza n'ait pu assister à la cérémonie, je ne sais pas pourquoi.

Pendant que le cercueil était descendu dans le caveau, les clairons ont ~~sonné~~ joué la sonnerie aux morts, dont les accents lugubres s'harmonisaient bien avec ce qui se faisait.

La Radio Française a enregistré toute la cérémonie qui sera diffusée sans doute aujourd'hui lundi (donc on pourra l'entendre même en Amérique). Le cortège composé d'une soixantaine d'automobiles revint à Alet.

L'ambassadeur déposa une magnifique gerbe au monument aux morts et puis il fut reçu officiellement par le maire entouré de son conseil. Il signa au livre d'honneur. Un vin d'honneur fut servi aux personnes assistantes et ce fut le repas, très simple, ne comportant que deux plats principaux : poisson et volaille. Après le repas, l'ambassadeur et sa suite visitèrent les ruines de la cathédrale ; je leur ai donné quelques explications.

À la fin du repas, j'avais déjà dit à l'ambassadeur que j'étais en relation avec la mère du lieutenant et que j'allais lui écrire. Il m'engagea fort à le faire, me disant que cela vous ferait beaucoup de plaisir et vous toucherait beaucoup plus que la relation officielle que l'on vous donnera sans doute.

C'était fini. Le cortège revint à Carcassonne et ainsi se termina cette journée que l'on peut qualifier d'historique pour notre petite ville d'Alet.

Et nous voilà dépositaires et gardien de votre cher Enfant. Ce dépôt si sacré nous le garderons fidèlement et pour ma part je me ferai un devoir bien facile de le visiter pour y prier et pour le mort et pour sa douloureuse Mère si éloignée. Comme par le passé je me souviendrai de la mère et de l'enfant dans mes humbles prières. À cette promesse j'ajoute une espérance : c'est de voir bientôt la chère Maman venir faire son triste mais si consolant pèlerinage au pied de la tombe de son Fils. Si le bon Dieu le veut, cet été nous aurons sans nul doute le très grand plaisir de vous voir et de vous recevoir. Souhaitons que l'état de santé de votre chère mère ne vous empêchera pas de venir en France. Voilà longtemps que je n'ai plus de vos nouvelles et par conséquent de votre mère. Comment va-t-elle ? Est-elle toujours souffrante ? Les froids de l'hiver ne la fatiguent-elle pas ? Vite, écrivez-nous pour nous tenir au courant ; nous serons si heureux de vous lire. Mais je ne puis terminer cette lettre sans vous dire combien je suis peiné de ce nouveau colis envoyé par vous (comme nous en a averti CARE) il n'est pas encore arrivé. Pourquoi malgré mes sincères demandes de ne plus nous en envoyer, pourquoi avez-vous encore une fois écouté votre trop bon cœur et commis une nouvelle « folie » en vous imposant en notre faveur une pareille dépense ? Encore une fois je vous supplie de ne plus envoyer de colis – notre reconnaissance n'en sera pas diminuée. Veuillez vous contenter de nous écrire de temps en temps, afin que nos relations auxquelles je tiens beaucoup continuent et afin que je serve de trait d'union désormais entre la mère en Amérique et le Fils reposant à Alet.

Veuillez bien, chère madame, recevoir de celui qui durant toute la journée d'hier (9) a partagé votre tristesse et vos prières l'expression de son plus affectueux dévouement en Jésus et Marie.

[en marge de la première page]

En relisant la biographie de Paul je constate qu'il est né le 12 février. En ce jour anniversaire de sa naissance, je célébrerai la sainte messe à l'intention de la mère et de l'enfant.

Les enfants des écoles étaient présents.

Figure 2 - Texte de la lettre envoyée le 10 janvier 1949 à Mary Swank par l'abbé Molinier

D'autres discours furent prononcés. Le cercueil fut descendu au son de la sonnerie aux morts, dont la mélodie sombre fut renvoyée par les parois rocheuses des collines. Ç'avait été une journée historique pour ce petit village de l'Aude.

Une réception en l'honneur de l'ambassadeur américain eut lieu à la mairie d'Alet. Celle-ci a d'ailleurs une histoire intéressante : En effet, le bâtiment a été construit par le chef du tsar Nicolas II, et est la copie de la résidence d'été du tsar à Saint-Pétersbourg. Un platane gigantesque, très ancien, dominait le jardin.

Le maire, M. Raynaud, parla. « Dites bien à tout le monde, et en particulier à Mme Swank, que la tombe de son fils sera entretenue soigneusement et religieusement. Cette promesse solennelle est un engagement d'honneur que nous ne manquerons jamais de tenir. C'est une promesse de respect et de continuité dans l'accomplissement de notre mission ; soyez en effet sûrs que nous ne négligerons rien afin de garder intacte la révérence pour la mémoire de cet enfant d'Amérique venu donner sa vie pour la libération de notre sol. »

Ses mots ont été respectés par les générations successives.

Dimanche 9 janvier 1949
Houston

CE DIMANCHE MATIN, JOHN IVY ET CARO, sa femme, prenaient le café dans leur chambre en lisant le journal, quand il tomba sur une nouvelle à peine croyable ! Il venait de lire un article d'une agence de presse sur la cérémonie d'Alet en l'honneur de son neveu, Paul Swank. Certes, sa sœur et lui savaient que la ré-inhumation du corps de Paul devait avoir lieu ce jour-là. Un service très simple ayant été annoncé, Mary avait décidé de ne pas s'y rendre, la santé de leur mère étant mauvaise. Elle avait demandé à Paul Barrière de l'y représenter. L'article disait que l'ambassadeur américain en France était présent, ainsi que des personnalités françaises. Ils devaient, par la suite, recevoir plusieurs copies d'articles relatant la cérémonie, parus dans le *Washington Post* et l'édition parisienne du *New York Herald Tribune*, envoyés par des amis.

Mary et John venaient d'envoyer plus de 700 kg de ravitaillement et de vêtements aux aletois dans le besoin. Il y avait également de la layette pour les bébés nés en janvier et février 1949. Avec ces dons, ils espéraient montrer leur gratitude pour le respect dont Alet avait fait preuve envers la mémoire de Paul. Le maire, M. Raynaud et l'abbé Molinier étaient chargé de la répartition de l'envoi.

28 janvier 1949

MARY REÇUT D'AUTRES nouvelles d'Al Cox. Il avait été mis au courant par un grand nombre de ses hommes, qui avaient vu les coupures de presse. Tous étaient contents, et fiers, de la reconnaissance accordée à Paul. « Je sais que ce lien si fort entre deux peuples créé par l'histoire du lieutenant Paul Swank vous console un peu. Une guerre ne produit pas grand-chose de bien, mais l'impression qu'a laissée Paul sur les gens du sud de la France est certainement ce que je connais de mieux. »

17 août 1977
Étroit d'Alet

LA SECONDE GUERRE MONDIALE est terminée depuis plus de 30 ans, mais la D118 est toujours la route principale entre Carcassonne et l'Espagne. Elle a été élargie pour absorber l'augmentation de la circulation, et il a fallu déplacer la tombe de Paul Swank de quelques mètres. C'est le vieil ami de Paul, le colonel Lucien Maury, chef du maquis de Picaussel, qui organisé la ré-inhumation. Cette fois encore, de nombreuses personnalités sont présentes. Les amis français de Mary sont là, eux aussi.

Et cette fois, Mary aussi est là.

CHAPITRE 20

Peggy Snyder

Août 1944

Washington

PEGGY SNYDER ET MARY SWANK s'étaient écrit souvent, en particulier après avoir, toutes les deux, reçu des lettres de Paul évoquant un probable appel téléphonique à Peggy par un officier, ami de Paul, qui devait être rapatrié pour raison de santé. À sa mère, il avait écrit :

> « Il se peut que tu reçoives, aux alentours du début ou de la mi-juillet, un coup de téléphone de Peggy, à Washington ; il faut absolument que tu acceptes si c'est un appel en P.C.V. Il m'a promis de parler à Peggy ; écoutes bien tout ce qu'elle te répétera. »

Mary et Peggy avaient reçu une lettre du commandant Cox ; il y parlait de Paul. Les deux femmes étaient extrêmement contentes, aucune n'ayant eu de nouvelles de Paul depuis déjà quelques temps. Dans sa lettre de septembre, Peggy avait aussi écrit :

> « Je n'ai pas de nouvelles de l'ami de Paul. Comme il doit démobilisé pour raison médicale, il ne devrait pas tarder à revenir. Je n'en peux plus d'impatience. Dès que j'aurai des nouvelles, je vous appellerai. »

Mary n'était pas du genre à penser d'abord à elle. Après avoir reçu le télégramme annonçant la mort de Paul, ses premières pensées allèrent à sa mère. La grand-mère de Paul était extrêmement bouleversée, et Mary fit ce qu'elle pouvait en attendant le médecin. Celui-ci lui donna un sédatif après avoir vérifié son état physique, ce qui permit à Mary de la mettre au lit, où elle ne tarda pas à s'endormir.

Elle pensa ensuite à Peggy, seule à Washington. On imagine bien que la mort de Paul allait être un choc énorme pour Peggy Snyder. Ce que Mary fit ensuite fut le plus difficile. Elle s'assit à son bureau, attrapa le premier papier qui lui tomba sous la main, qui se trouva être l'enveloppe de la dernière lettre envoyée par Peggy, et écrivit

> « Reçois télégramme du Ministère guerre annonçant Paul tué au combat en France le 17 août. Écrirai plus tard. Mary Ivy Swank. »

Elle prit ensuite le téléphone pour appeler la Western Union[33] . Dès le lendemain, elle recevait un télégramme de Peggy : « BIEN REÇU L'AFFREUSE NOUVELLE. TOUTES MES CONDOLÉANCES. PEGGY »

Le 16 octobre 1944

Peggy écrivit :

> Chère Mme Swank,
>
> J'ai bien reçu votre lettre et je veux que vous sachiez que je suis de tout cœur avec vous tous. Il est difficile d'exprimer avec des mots ce que je ressens depuis que j'ai reçu la nouvelle à propos de Paul. Comme vous, je ne peux pas m'empêcher de penser qu'il y a encore de l'espoir. Je ne peux pas croire le contraire.
>
> J'aimerais vous voir, si possible. Je suis sûr que vous pouvez comprendre pourquoi, car Paul était tout pour moi et je l'aime d'un amour profond. Il est très difficile de se faire à l'idée que nos plans sont détruits si brusquement. Mais, comme c'est une chose sur laquelle nous n'avons aucun contrôle, je sais que je dois continuer.
>
> Ma colocataire a reçu une lettre du capitaine Frizzell[34],

---

33 Note du traducteur : La « Western Union » est une entreprise qui assurait autrefois le service des télégrammes.

34 Le capitaine Art Frizzell, qui commandait le groupe « Emily »

qui sert dans la même unité que Paul. Voici ce qu'il lui disait : « Je ne peux rien vous dire maintenant à propos de Paul. Vous en savez probablement autant que moi de toute manière. Tout ce que nous faisons est si secret que cela a souvent des désavantages. » Si j'apprends quoi que ce soit par ses hommes, je vous le ferai savoir. Si vous apprenez des détails, je vous prie de m'en faire part.

J'espère sincèrement que vous pourrez trouver du réconfort dans le fait que mes pensées vous accompagnent. Si je peux faire quoi que ce soit, n'hésitez pas à me le faire savoir.

Je vous prie de recevoir mes meilleures salutations.

Peggy »

3 décembre 1944

Peggy écrivit à Mme Swank, en s'excusant de ne pas avoir l'avoir fait plus tôt, lui disant à quel point avoir de ses nouvelles lui avait fait plaisir. Elle souhaitait seulement pouvoir lui parler en personne. Il était clair que Mary Swank lui avait demandé de vérifier quelque chose à propos de Paul, car Peggy écrivait :

« J'ai vérifié au Bâtiment des munitions ; ils n'ont qu'une seule fiche pour un lieutenant Paul Swank. J'ai également demandé à une amie qui travaille à l'OSS de vérifier. L'autre lieutenant Swank se prénomme Larry. Paul et moi avons dîné avec lui, un soir. Il avait l'air très sympathique.

« C'était très gentil de la part du lieutenant Briggs et du commandant Cox de vous écrire. Je ne perds toujours pas espoir, car il y a tellement de possibilités. J'ai appris par cette fille de l'OSS que le retour de leur unité aux États-Unis est prévu pour bientôt. Je suis certaine qu'ils pourront nous dire quelque chose. J'ai passé un mois de repos chez moi, et j'ai repris le travail le 20 novembre. C'est le docteur qui m'avait prescrit ce congé. Il pensait qu'il valait mieux que je rentre chez moi au moins un mois. Je suis contente de l'avoir fait ; je me sens beaucoup mieux.

« Merci beaucoup d'avoir envoyé cette coupure de journal[35] .

Je n'ai pas de photo de Paul. Est-ce que par hasard vous auriez des photos ou des images de lui, car j'aimerais beaucoup en avoir une.

---

35 Coupure du *Houston Chronicle*

« Je suis désolée d'apprendre que votre mère ne va pas mieux. Elle comptait tellement pour Paul. Faites-lui part de mes salutations.

Je dois terminer. J'espère avoir de vos nouvelles bientôt -
Amicalement,
Peggy »

À l'été 2016, ma nièce a trouvé sur Internet une liste de passagers indiquant que Peggy, ainsi que son frère Bill, avaient atterri à l'aéroport d'Orly le 20 juin 1950. Paul Swank avait été inhumé dans sa tombe définitive en janvier 1949.

En 1971, Mary avait reçu de Peggy une note contenant une photo. Elle avait été distinguée pour ses 30 années de service au FBI. Ayant pris sa retraite en 1977, après 37 ans, Peggy Snyder est morte en 2004.

CHAPITRE 21

Les Français n'ont pas oublié

EN FACE DES MURS PASTEL de l'abbaye de Notre-Dame, juste en dessous des remparts de Carcassonne, se trouve le Centre culturel de la mémoire combattante. Ce petit musée sur deux niveaux est plein de vieux uniformes français, de fusils, d'armes de poing et de bazookas de toutes sortes, ainsi que de décorations, de cartes et de souvenirs.

À l'étage, une dizaine de dioramas relatent les combats dans la région ; une attention particulière est accordée aux maquis de Picaussel et de Salvezines. On y trouve, par exemple, un écusson de l'uniforme porté par les commandos de l'opération Peg avec un drapeau américain décoloré d'un côté et une lettre bien conservée, portant un cachet « TOP SECRET » en rouge, identifiant le porteur comme un soldat américain devant être traité comme tel. Dans un coin se trouve une sorte d'immense boîte métallique verte décorée du dessin d'un parachutiste sous son parachute déployé s'approchant du sol avec les mots : Maquis de Salvezines. S'agit-il de l'un des conteneurs, largués par les Américains de l'opération Peg, qui contenait les armes qui seront ensuite réparties entre les maquis de Salvezines et de Picaussel ? Peut-être. À proximité se trouve un mannequin vêtu d'un uniforme défraîchi des Forces Françaises Libres. Des affiches indiquent où les accrochages entre le maquis et les Allemands ont eu lieu.

Ici et là, on tombe sur des armes et des drapeaux américains, ou des photos de soldats américains. On peut voir le récit des actions de l'opération Peg à Alet, ainsi qu'une photo de la tombe de Paul Swank. Aucun autre militaire américain en dessous du grade de général n'est nommé dans ce musée.

Les Français n'ont pas oublié.

« Sans les Américains, nous n'aurions pas gagné la guerre», déclare David, responsable du musée, lors d'une visite récente. « C'est aussi simple que ça. »

En effet, indépendamment des désaccords fréquents en matière de commerce, de politique, de défense ou autre, les Français restent reconnaissants du rôle joué par l'Amérique dans la guerre, comme le montrent les vastes cimetières de Normandie ainsi que cette petite tombe au bord d'une route de l'Aude, même 75 ans après les événements. La prochaine fois que quelqu'un vous dira que les Français sont anti-américains, ne les croyez pas.

Dans les collines qui surplombent Alet, un monument soigneusement entretenu raconte l'histoire du maquis et de Paul Swank. Sa tombe reste fleurie le long de la D118. Non loin du pont où Paul est tombé se trouve la rue du lieutenant Paul Swank, qu'elle porte depuis 1995.

À Alet, en 2018, devant un verre de blanquette du pays, Guy Sarrazi déclarait : « Je m'en souviens comme si c'était hier. Imaginez tous ces jeunes gens venus ici pour risquer et donner leur vie pour nous rendre la nôtre. Les Américains nous ont libérés. »

CHAPITRE 22

Mon parcours

J'AI EU LE PRIVILÈGE de faire plusieurs voyages en France au fil des années. On trouvera ci-dessous un résumé de mes recherches pour comprendre ce qui s'est passé ce jour de 1944, et ce qui en reste. Voici quelques-uns de ces moments mémorables :

1994

J'AVAIS 63 ANS LORS de mon premier voyage en France, pour assister à l'inauguration d'une plaque en mémoire de Paul et du maquis de Salvezines, dans les collines entre lesquelles Alet se niche.

Le deuxième soir, à Paris, nous avions été invités chez l'une des filles de Jeannette et Raymond Barres. Martine Paul Barres avait été nommée ainsi en souvenir de Paul Swank. La mère de Paul était devenue très proche de la famille. Nous étions passés prendre Jean Kohn, un ancien de l'opération Peg, et sa femme Renée. Ils habitaient un très bel appartement, dans un immeuble ancien d'un quartier élégant de Paris.

Le dîner ce soir-là fut tout simplement merveilleux. Après le potage, il y avait du canard, une salade, le dessert, suivis par les digestifs. Entre les plats, les discussions avaient porté sur des histoires de la guerre, dont un grand nombre ont d'ailleurs été incorporées à ce livre. J'avais un peu l'impression de regarder un match de tennis, tellement il se passait de choses. Il m'était impossible même d'essayer de suivre les conversations, qui mêlaient le français et anglais. Renée faisait de son mieux pour essayer de m'expliquer les différentes conversations. En tout cas, ce fut une soirée délicieuse.

Tôt le lendemain matin, nous avons pris un train, qui nous a amené à Toulouse, où nous avons loué une voiture pour aller à Carcassonne.

Je n'oublierai jamais la première fois que j'ai vu la Cité. Nous sommes arrivés en haut d'une colline, et l'avons vu se dresser, dans toute sa splendeur, illuminée par le soleil. C'était incroyable ! Il était difficile de croire qu'une chose comme celle-ci pouvait non seulement exister, mais avoir duré aussi longtemps.

C'est le lendemain que j'avais assisté, pour la première fois, au service commémoratif en l'honneur de mon cousin. Après un trajet sur des routes de montagne vertigineuse, les voitures avaient enfin ralenti. Il faisait beaucoup plus frais dehors. L'odeur de la forêt est un vrai délice. Un vent léger siffle à travers les arbres. On aurait dit que tout le monde était venu en famille. Il y avait de nombreux enfants de tous âges. Ils ne jouaient pas, ne couraient pas. Ils semblaient très bien savoir que le moment et le lieu étaient particuliers. Le silence s'était enfin établi. On n'entendait plus claquer aucune portière de voiture. à peine de légers murmures, qui, bientôt, s'étaient tus.

Il y a un panneau explicatif, avec une photo d'un bombardier britannique Halifax (qui, comme le Stirling, a effectué des largages), et des textes expliquant que c'est l'endroit où le maquis de Salvezines a reçu 14 conteneurs de munitions et de fournitures, et a réceptionné des parachutistes, parmi lesquels le lieutenant Paul Swank,

Au milieu d'un rond-point de la D22, balayée par les vents, se trouve un superbe monument en pierre portant des plaques en marbre gravées de lettres d'or sous les drapeaux américains et français entrecroisés. Le texte dit, en français et en anglais :

ROND POINT DU MAQUIS JEAN ROBERT FAÏTA
Salvezines

Première commune de l'Aude libérée par le maquis Jean Robert Faïta et le groupe opérationnel OSS du 2671e bataillon de reconnaissance spécial américain.

17 août 1994

UN PETIT GARÇON, cinq ou six ans peut-être, va cueillir une poignée de fleurs et va les mettre à côté d'un des conteneurs ayant apporté des armes permettant de se battre contre les Allemands. Peut-être était-ce son grand-père qui s'était battu. Un homme fait un discours, et un autre, puis c'est au tour de Jean Kohn. Une fois la cérémonie terminée, ils regagnent tous leurs voitures et repartent sur la route qui descend, puis sur une autre. L'arrêt suivant est une ferme avec une grange bleue. C'est là qu'ils cachaient les armes et les munitions. Un pique-nique a été organisé pour le plaisir de tous, et les souvenirs commencent à être échangés.

L'année d'après, ce sont Conway et sa sœur Caro qui assistèrent aux cérémonies. Paul avait un stylo à 4 couleurs, donné par son oncle John. Celui-ci se servait des couleurs de ce stylo pour faire des annotations sur les cartes géologiques. À la fin de la cérémonie, une dame s'approcha de Conway et de Caro ; elle tenait un stylo. Avant même qu'elle n'ouvre la bouche, Conway reconnut instantanément ce stylo, le même que celui dont se servait son père. Elle déclara qu'un officier allemand avait retiré le stylo du corps de Paul le jour où il avait été tué, et l'avait jeté. Elle avait participé à la veillée funèbre du corps de Paul, la nuit suivant sa mort. Elle avait ramassé le stylo, et l'avait conservé pendant toutes ces années pour le rendre à la famille. Cette occasion était la première pour elle de le faire.

2006

CETTE ANNÉE-LÀ, nous sommes retournés au camp, dans la montagne au-dessus de Salvezines. Il nous fallut un certain temps pour le retrouver, tout le monde ayant une opinion différente quant à son emplacement. J'ai été surprise de voir à quel point la région avait changé en douze ans. Un grand nombre d'arbres avaient été coupés. J'étais contente de l'avoir vu tel qu'il avait été utilisé par le maquis.

Nous devions rencontrer Marc Belli lors de cette cérémonie. Il y avait beaucoup de monde à notre arrivée. Conway prononça quelques mots, puis nous remarquâmes un homme debout devant la foule. Il tenait un livre intitulé « Paul A. Swank ». S'étant rendu compte qu'il avait attiré notre attention, il s'approcha de nous. C'était le fils d'Henri Job. Lui aussi avait été diplomate, et avait également aidé Mary Swank à essayer de faire revenir le corps de Paul à Alet.

Un peu plus tard ce jour-là, nous sommes allés chez Philippe Job, juste à l'est de Carcassonne, dans une rue donnant sur la route de Toulouse. Il s'avéra que sa femme était l'une des infirmières (elle était originaire du Clat) qui avait été envoyée sur le site de l'embuscade pour porter secours aux blessés. Le monde est petit.

Voici ce qu'un des participants, Jean Miller, alias Caplan, avait à dire :

« Chacun de mes amis qui a joué un rôle actif dans la Résistance garde dans son cœur un moment de l'histoire de notre pays. Quand on combine tous ces moments, ils produisent la grande image de notre histoire.

« J'aimerais maintenant dissiper une idée fausse qui, au fil des ans, est devenue une légende. C'est une histoire dont je suis d'ailleurs peut-être à l'origine, qui aurait prétendu que nous étions des héros, alors que, à l'époque, nous n'en savions que très peu. Nous n'étions rien d'autre qu'un groupe de jeunes gens qui voulions vivre notre vie, mais qui ne pouvaient pas vivre parmi des assassins, et cette voie exigeait un sens aigu et très fort des difficultés que cela impliquait. C'était ce sens que nous avions, tout simplement.

« Nous n'étions pas des combattants mais des jeunes ayant le sens de la dignité, autrement dit la volonté de goûter à la liberté et au droit à la liberté d'expression.

« Raconter toute cette histoire en si peu de temps, c'est tenter l'impossible. Quand je me suis rendu compte que je ne pouvais pas être en sécurité dans la ville de Limoux, j'ai rejoint les rangs du maquis Faïta.

« Grâce à mes contacts à Limoux, à Quillan et dans le Minervois, j'ai rejoint la ferme Vinsous, qui appartenait à la famille Cathala. J'y suis arrivé la veille de mes 21 ans, un âge d'espoir, de soleil et d'amour. Le petit Auguste Cathala m'y a accueilli, et je l'appelle « petit » parce qu'il avait l'air si jeune. Et puis, une succession d'événements insolites et touchants s'est produite : Auguste m'a donné à manger. Comme je l'ai déjà dit à certains d'entre nous, la nourriture était un élément vital de notre survie. Après la tombée du jour, ils m'ont amené au camp du maquis.

« À l'aube, l'enfer s'est déchaîné et nous avons compris que nous étions cernés par les Allemands, mais le pire était que c'était la Milice qui les avait guidés vers notre cachette. La Milice était composée de nos propres concitoyens, qui connaissaient le terrain et ses habitants mais, pour nous, ils n'étaient pas des combattants normaux. Nos forces ont été dispersées dans tous les sens et le petit Cathala a été assassiné. Je qualifie ce qui s'est passé de meurtre, plutôt que d'être tué au combat. Le moment était venu pour le maquis de nommer de nouveaux chefs, mais ces jeunes n'avaient aucun entraînement au combat, et il leur fallait, en plus, faire tenir ensemble ce groupe mal armé. En repensant à cet épisode de ma carrière militaire dans le maquis, quand je n'avais pour tout armement qu'un petit revolver 6,35, une arme de dame, pour lutter contre ces monstres bien armés… inutile de dire que j'étais terrifié.

« Si un jour quelqu'un vous dit que les résistants n'avaient pas peur, croyez-moi, ce qu'ils vous disent n'est pas vrai. »

2011

GUY SARRAZI S'EFFORCE d'assister à chaque cérémonie commémorative sur la tombe de Paul. Il a un grand respect pour lui et se sent redevable envers lui et les Alliés d'avoir sauvé la France. Il ira présenter ses respects cette année. Il a fait part à Barbara de sa grande gratitude pour le soutien des Américains. Il a exprimé à la famille de Paul sa gratitude pour les colis envoyés au village pendant plusieurs années après la mort de Paul. Il raconte ses souvenirs de camions remplis de fournitures destinées aux familles du village ; ils apportaient du sucre, de la farine, des vêtements, etc.

En 1944, Guy, âgé de 14 ans, avait un âge qui, pour de nombreuses raisons (il avait peur, il savait que les adultes avaient peur, il était impressionné de voir le corps de Paul, et il se rendait compte qu'il était si jeune et pas vieux comme ses grands-parents ou ses parents) comprenait le sérieux de ce qui venait de se passer. Et quand les camions de secours, partiellement financés par Mary Swank arrivaient, il ne pouvait pas croire ni comprendre que quelqu'un puisse savoir à quel point son village avait besoin de ce qu'ils contenaient.

2012

NOUS SOMMES REVENUS à Alet pour la cérémonie et, une fois de plus, je rencontre toutes sortes de gens qui veulent m'aider à recueillir des informations pour ce livre. Philippe Régnier, qui est en train de mettre à jour le site internet créé par Marc Belli, a de la famille à Salvezines. Son grand-père, né en 1920 comme Guy Sarazzi, faisait partie d'un maquis, mais pas celui avec lequel Paul avait travaillé. Il connaissait les Ribéro, qui avaient prévenu le plus gros maquis du largage d'armes prévu. En 1998, il avait interrogé son grand-père et, en 2011, avait rédigé ce que celui-ci lui avait appris. Il déclare également avoir effectué des recherches pour compléter ce que son grand-père lui avait appris. Ce que Philipe m'a confié a confirmé tout ce qu'on m'avait dit. Je me demande comment ces gens ont pu vivre au jour le jour dans ces conditions, sans savoir ce qui allait se passer le lendemain.

UNE DES CHOSES que je désirais faire, à l'occasion de ce voyage, était de monter dans les montagnes de Picaussel, à l'endroit où le parachutage du groupe Peg était prévu. C'est un trajet terrifiant dans un 4x4 moderne, et il a dû être bien pire pour les maquisards en 1944. La route ressemble à un sentier forestier, et une erreur de direction y serait l'occasion de se perdre sans espoir de retrouver son chemin. Il y avait un bâtiment, avec beaucoup de vieux meubles à l'intérieur, qui n'avait pas l'air d'avoir beaucoup servi depuis 1944 ! Je ne vois pas comment les Allemands auraient trouvé le camp du maquis, sauf si quelqu'un leur avait montré le chemin. En même temps, je comprends comment les maquisards ont réussi à s'échapper.

Le 17 août 2012 était la première fois depuis 2006 que j'assistais à la cérémonie sur la tombe de Paul. Il y avait encore une centaine de personnes autour de celle-ci. Après cela, nous sommes allés sur la colline surplombant la route de Couiza pour une cérémonie à la mémoire des trois FFI tués. Comme toujours, des fleurs ont été mises sur le mémorial et plusieurs personnes ont fait des discours. Cette fois-là, cependant, ma fille Caroline, devant le mémorial, les a remerciés en français, au nom de la famille de Paul, pour tout ce qu'ils avaient fait. Quand elle est revenue dans les rangs de la foule, tout le monde l'a applaudie. Nous sommes ensuite allés au mémorial des FFI espagnols, qui se trouve en face du pont, à l'entrée d'Alet.

Personne ne sera surpris de savoir que l'histoire est omniprésente à Alet. Par exemple, Les Marguerites, cette pension de famille où nous avons l'habitude de descendre, a servi d'hôpital aux Allemands. Nous avons aussi appris que, pendant la guerre, des jeunes allemands étaient logés au restaurant La Buvette, notre lieu de prédilection à Alet. À l'époque, le bâtiment était une école de filles tenue par les bonnes sœurs. Celles-ci étaient très contrariées par le fait que le Commandant allemand leur avait demandé de laisser les élèves jouer avec les garçons, qui étaient de jeunes adolescents. C'était sans doute très innocent, et un moyen de les occuper. C'était la première fois que j'entendais dire qu'il y avait effectivement des Allemands à Alet, bien que Guy ait mentionné que les Allemands donnaient souvent des bonbons aux enfants. Certains habitants pensent que les jeunes garçons allemands étaient emmenés dans les montagnes au-dessus d'Alet à la recherche de l'Arche d'Alliance. Ils disent qu'ils pouvaient entendre les explosions.

2013

IL SEMBLE QUE LES habitants d'Alet et des communes environnantes savent que nous revenons pour la cérémonie et qu'ils savent que je suis en train d'écrire ce livre. Ils viennent donc tous me rendre visite aux Marguerites. Un de ceux-ci m'a dit avoir connu une femme, ancien agent SOE/OSS, surnommé « Virginia Hall » et souhaitait savoir si j'étais au courant de ses activités dans la région lyonnaise. Mais non, je ne les connais pas. Mais tout n'a pas été perdu. Il m'a dessiné un plan de Salvezines montrant l'emplacement de la maison où se trouvait le siège du maquis. Cela doit certainement être l'endroit où les GO blessés après le parachutage ont été soignés. Caroline et moi sommes y sommes montés. Cela confirmait ce que le grand-père de Philippe Régnier lui avait dit.

2014

CETTE ANNÉE-LÀ, LA NOUVELLE MAIRE d'Alet a organisé une réception à l'occasion du 70e anniversaire, pour garder vivante la mémoire de Paul et des maquisards dans la commune. C'est formidable qu'elle ait compris l'importance de garder vivant le souvenir de Paul. À leur demande, je leur avais envoyé une liste de personnes à inviter à la réception organisée par la mairie.

Le samedi 16, il y a eu des cérémonies autour la plaque commémorative qui, au Plan Prunier, marque la zone de parachutage ; ces cérémonies ont été suivies d'une réception au Clat. Au Plan Prunier, il faisait froid, il y avait du vent et des averses, mais il y avait encore plus de 100 personnes. Une petite fanfare a joué les hymnes nationaux et d'autres airs.

Un autre groupe, à Alet, a recueilli des histoires, des photos et des informations sur Alet pendant la Guerre de 39-45. Ils ont monté une exposition à la bibliothèque et m'y ont fait parler de mon livre le lundi 18.

La cérémonie sur la tombe a eu lieu le dimanche 17, à 10 heures. Elle a été suivie, à l'ancienne abbaye, d'une messe célébrée par l'évêque de Carcassonne à la mémoire de Paul et des maquisards tués.

Après la messe, il y eut une belle réception à la mairie, où j'ai eu l'occasion de parler à des gens qui voulaient me raconter leurs histoires. Le facteur d'Alet m'a surpris. Il m'a donné un paquet contenant deux calendriers mais aussi quelque chose qui, j'en suis sûre, était plus précieux pour lui : une petite boîte en plastique contenant quatre épingles colorées représentant les plages de Normandie. Sa mère est née en Normandie le 6 juin 1938. Elle avait donc six ans le jour du débarquement. Il voulait que je sache qu'il se souvient du sacrifice de tous les Alliés pour la libération de la France. Son paquet contenait une photocopie de la couverture du livre de Lucien Maury sur le maquis, ainsi que les pages parlant de Paul.

Je crois que c'est en 2012 que j'ai rencontré Moïse (La Pébie). Je pense aussi lui avoir parlé en 2014. Je sais que j'ai eu des conversations avec Frédo et Jonquille. Ils voulaient tous me parler de leur relation avec Paul, et ils étaient tous très émus à ce sujet. Je ne crois pas qu'ils aient inventé cela pour m'impressionner, ni que c'est parce que Paul était mort. Je crois qu'ils avaient de réels sentiments pour lui. Je pense que c'est dû à la façon dont il les traitait. J'ai ressenti la même chose avec Jean Kohn, qui avait également été impressionné par le lieutenant Weeks agenouillé près du cercueil et prenant la main de Paul. Une autre chose intéressante, qui fait ressortir la personnalité de Paul, est le fait que deux personnes ont donné son nom à leur premier enfant : le premier fils du lieutenant Weeks, prénommé Swank, et la première fille de Jeannette et Raymond Barres, prénommée Martine Paul Barres.

REMERCIEMENTS

Je n'aurais pu écrire ce livre sans l'aide de deux personnes formidables. J'ai fait la connaissance de Marc Belli et de Jean Kohn lors de mon premier voyage en France, en mai 1994. J'y étais allée pour assister à l'inauguration d'une plaque sur le site du camp du maquis, dans la forêt de Resclause. La date avait été choisie pour coïncider avec l'anniversaire du débarquement. Mon frère Conway et ma sœur Caro les connaissaient depuis longtemps, ayant accompagné la mère de Paul - notre chère Tatie - en France à différentes occasions. Jean, qui faisait partie du groupe commandé par Paul, écrivait alors ses mémoires sur son service dans l'OSS. Avec sa femme Renée, ils étaient devenus très proches de notre famille après avoir fait la connaissance de Mary Swank Schumacher lors de la ré-inhumation de son fils en 1977. Jean et Renée habitent à Paris.

Marc habite à Carcassonne. Je l'ai rencontré quand nous sommes allés à Alet-les-Bains pour la cérémonie. J'ai été surprise par l'importance de l'assistance - hommes et femmes, jeunes et vieux, et même des enfants de tous âges.

Marc a commencé à s'intéresser aux groupes du maquis après son installation dans la région après son mariage. Il a rédigé les entretiens qu'il a effectué avec différents membres du maquis Jean Robert et Faïta. Il a contacté autant de membres de l'équipe Peg qu'il a pu localiser, et les a interviewés. Jean Kohn et lui sont devenus bons amis et ont collaboré à de nombreux projets concernant l'équipe Peg et le maquis. Marc a rassemblé de nombreux souvenirs et les a déposés au musée de Carcassonne. Il s'est aussi occupé de la pose d'autres plaques dans la région : à la zone de parachutage du Plan Prunier, à Salvezines, à Limoux, à Couiza, aux Gorges de Cascabel.

Je n'oublie pas non plus les bonnes amies de mes cours d'écriture avec Jackie Simon - Carol Fulmore et Beverly Harris. J'ai également reçu beaucoup d'aide de la part de Jackie, en dehors des cours. Il n'est bien entendu pas question d'oublier le soutien que j'ai reçu depuis 2011 de mes nouvelles amies d'Alet-les-Bains : Antoinette Fairhurst et Ann Mclean. Je n'ai pas assez de place pour expliquer ce qu'ils et elles représentent pour moi.

(de gauche à droite) Le lieutenant Grahl Weeks, le lieutenant Paul Swank et deux soldats à l'aéroport de Blida, aux alentours du 11 août 1944.

Arrivée du cercueil à la tombe. Alet-les-Bains (1949)

Mary Swank (la mère de Paul) devant la tombe de celui-ci. 1952

(de gauche à droite) Renée Kohn, Jean Kohn, Mary Swank Schumaker parmi d'autres participants. Réinhumation en 1977

Mary Swank (la mère de Paul)

John Ivy (l'oncle de Paul), frère cadet de sa mère. Fin des années 30

Paul Swank descendant d'un camion. Quillan (Aude), 15 août 1944

Paul Swank (18 mois - 2 ans) avec ses parents, Mary et Paul Swank

Paul Swank, alors âgé de 3 ou 4 ans, avec sa mère Mary Swank devant leur maison en Floride.

Paul Swank (14 ans) avec ses cousines Barbara (3 ans) et Caro (6 ans) Ivy.

Paul A. Swank

Paul Swank et ses hommes. Au premier plan, de gauche à droite : Peter Weyer, John Guion, Nolan Frickey, Roy Allemand, W.J. Strauss, H.A. Sampson
Debouts à l'arrière-plan, de gauche à droite : Lieutenant Grahl Weeks, Roy Armentor, R. Arnone, Claude Galley, J.P. White, R.G. Veilleux, A.E. Bachand, Jean Kohn, Lieutenant Paul Swank

Paul A. Swank

BARBARA IVY JOGERST cest née en 1931 à Houston, au Texas, où elle a passé la plus grande partie de sa vie. Son enfance au sein d'une vaste famille, très unie, s'est déroulée pendant la grande crise des années 30 et la seconde guerre mondiale. Elle a donc vécu en direct les nombreuses épreuves de cette période difficile. Paul Swank était son cousin germain ; il lui a tenu lieu de grand frère, à elle et à ses frères et sœurs, en passant beaucoup de temps avec eux après la mort de son père. La mort de Paul, en 1944, à Alet-les-Bains, dans l'Aude, au pied des Pyrénées, a eu un effet marquant sur Barbara et le reste de la famille. Après la guerre, en reconnaissance pour la gentillesse dont ils avaient fait preuve à l'égard de Paul, la mère de celui-ci et la famille Ivy ont tissé des liens forts avec de nombreux habitants d'Alet et de la région.

Barbara a toujours été une raconteuse. Au milieu des années 1990, elle s'est mise à l'écriture de petits récits, pour transmettre ses souvenirs d'enfance à ses petits-enfants, nièces et neveux. En parallèle, de nombreuses questions relatives aux dernières semaines de la vie de son cousin Paul étaient toujours sans réponse. À cette même période, un voyage en France poussa Barbara à se lancer dans des recherches sur l'opération Peg et les hommes qui avaient servi avec Paul. Ayant constaté, lors d'un autre voyage en France en 2006, que plusieurs générations d'habitants de la région continuaient d'honorer l'héroïsme de celui-ci, elle décida de faire des recherches sur cette dernière partie de sa vie. C'est grâce à des témoignages recueillis, au prix de beaucoup de temps et de patience, auprès de survivants âgés et d'Aletois de longue date, que ce récit a pu voir le jour.

JEAN LACHAUD est né à Paris, où il a fait ses études. Il est traducteur professionnel depuis 1981. Il s'est installé aux États-Unis, dans l'état de New York, en 1990. Par une coïncidence extraordinaire, il a emprunté, le 17 août 2014, la D118 le long de laquelle se trouve la tombe de Paul Swank, le jour même où se déroule le prologue de cet ouvrage.

Printed in Poland
by Amazon Fulfillment
Poland Sp. z o.o., Wrocław